Tú Tienes Estilo

*Tu guía personal
para relacionarse con los otros*

Dr. Robert A. Rohm

Personality
INSIGHTS
PRESS

Editor de la edición en Inglés - Beth Mc Lendon
Diseño gráfico - Pedro A. Gonzalez

Fotos del Dr. Robert A. Rohm por Rick Diamond

Traducido del Inglés por:
Carol Shaw
Nexus Language Communications

Editado por Personality Insights, Inc.
P.O. Box 28592 - Atlanta, GA 30358-0592
1.800. 509.DISC - www.personalityinsights.com

Personality
INSIGHTS
PRESS

Primera Edición en Español Marzo 2010

ISBN 0-9773472-9-X

Impreso en los Estados Unidos de América

*Este libro esta dedicado cariñosamente
al equipo de Personality Insights*

Dr. Robert A. Rohm

Por más de 30 años, el Dr. Robert A. Rohm ha impactado las vidas de personas a través de sus charlas y enseñanzas alrededor de los Estados Unidos, América Latina, Canadá, Europa y Asia. Recibió su doctorado en administración de educación superior y consejeria en la Universidad del Norte de Texas (*University of North Texas*), el comunica a sus audiencias sobre el desarrollo personal y las relaciones comerciales. Su combinación singular de humor, anécdotas e ilustraciones le permite relacionarse con adultos y jóvenes que vienen de distintos caminos de la vida. Millones se han reído y han aprendido del Dr. Rohm. El Dr. Rohm es un conferencista dinámico, que ha entretenido e iluminado a audiencias hasta de 70.000 personas, y ha compartido la plataforma con otros grandes conferencistas como Zig Ziglar, Les Brown, Presidente George Bush Sr., Rush Limbaugh, Charles "Tremendous" Jones, Peter Lowe, Lou Holtz y Joe Theisman. Ha hablado a audiencias con personajes célebres que incluyen a: Tricia Yearwood, Johnny Cash, Glen Campbell, Howie Mandel, Miss America Heather Whitestone and Dionne Warwick.

El Dr. Rohm es autor y co-autor de varios libros incluyendo "*Descubra Su Verdadera Personalidad*", "*Presentar con Estilo*", "*Hijos Diferentes, Necesidades Diferentes*", entre otros.

Como empresa de entrenamiento, Personality Insights, Inc., toma del estilo único de presentación del Dr. Robert Rohm, para hacer sus materiales, videos, audios, y CDs para así, habilitar a las familias para que puedan mejorar sus relaciones en el hogar y a los trabajadores para que puedan incrementar la efectividad de sus equipos en el trabajo.

El Dr. Rohm esta disponible
para conferencias bajo solicitud en:
Personality Insights, Inc.
1.800.509.3472

INDICE

Prólogo

En la sociedad ocupada de hoy con sus expectativas y demandas frenéticas, así como oportunidades llenas de esperanza, a veces es fácil pensar que podemos lograr mucho... si solo la otra gente con la que tenemos que interactuar no fuese tan difícil de tratar. Alguna vez ha pensado; "¿No sería mucho más fácil para mi sobrellevar todas las demandas de la vida si tan sólo las otras personas sintieran, pensaran y actuaran como yo?"

Desafortunadamente, el mundo no está hecho de grupos personas hechas de igual forma, perfectas y predecibles. A pesar de que los miembros de la raza humana comparten características universales, necesidades, deseos y motivaciones, cada uno de nosotros sigue siendo único...¡y especial! No hay una solución maravillosa de talla única que se ajuste a todas las soluciones para sobrellevar a la gente con la que nos asociamos a diario en nuestras vidas profesionales y personales.

De vez en cuando se nos facilita entendimiento y sabiduria sobre los "rompecabezas interpersonales"a los que llamamos familia, amigos, compañeros y colegas. Ustedes tienen en sus manos una de las llaves para revelar el misterio de ese rompecabezas al que nosotros llamamos la *gente*. El Dr. Robert Rohm tiene más de treinta años de experiencia y sabiduría que comparte con claridad para ayudarnos a entendernos a nosotros mismos, así como a los demás, para que podamos de manera exitosa relacionarnos e interactuar con la gente. Una vez que entendamos lo que "nos hace reaccionar" y los distintos elementos que *lo hacen a usted único*, usted puede comenzar a entender qué es lo que hace que los demás sean *como son*.

No podemos cambiar a las otras personas, pero sí podemos cambiar nuestra percepción de los estilos de personalidad de los demás y cómo relacionarnos mejor con ellos. *Tú Tienes Estilo* lo pondrá en el camino a la comunicación exitosa y relaciones buenas y saludables, relaciones exitosas en todas las ramas de su vida personal y profesional. Como dice el Dr. Rohm, "*Si yo lo entiendo a usted y usted me entiende a mi, ¿ no es razonable creer que podemos estar en una posición para una mejor relación?*"

¡Le espera un gran gusto que lo beneficiaría durante toda su vida cuando comienza a entenderse a sí mismo y a los demás mientras explora estos principios de estilo de personalidad!

¡Que disfrute de la exploración!

Dexter Yager

Capítulo 1

Encuentre su estilo

Años atrás, los científicos y filósofos empezaron a reconocer que las diferencias en los comportamientos de las personas parecían seguir un patrón. Observaron las personalidades de las personas y describieron el comportamiento que vieron. El Modelo de Comportamiento Humano D I S C es un resultado de sus esfuerzos. Podemos usarlo para ampliar nuestra conciencia y entender el porqué pensamos, sentimos y actuamos de cierta manera.

Tipos de personalidad

Hay cuatro tipos básicos de personalidad, conocidos también como temperamentos. Los cuatro tipos son como cuatro cuadrantes o cuatro partes de un círculo. Estos cuatro tipos básicos de personalidad forman las cuatro partes del estilo de personalidad de una persona. Estas partes están interrelacionadas de maneras fascinantes y se combinan en patrones múltiples. Nadie tiene la personalidad totalmente definida, o influenciada, por un solo grupo de características.

Las distintas maneras en que se combinan las características de cada uno de los cuatro tipos básicos forman el estilo de personalidad distintivo de cada persona. De hecho, es la combinación ilimitada de estos elementoslo que produce la gran diversidad y singularidad de las personalidades. ¡Esto es lo que hace que cada persona sea especial y única! Para entender este concepto, comencemos con dos maneras distintas de dividir nuestro círculo. Esto nosfacilitará dos formas distintas de determinar su estilo de personalidad usando dos clasificaciones o distinciones simples.

¿Es Usted Extrovertido o Reservado?

Las personas extrovertidas son más activas y optimistas. Las personas reservadas son más pasivas y cautelosas. Una manera de ser no es mejor que la otra. Simplemente son diferentes, y ambas son importantes.

Las personas extrovertidas

Hay varias maneras en que podemos describir a las personas extrovertidas, y de ritmo acelerado. Les encanta ir y hacer cosas. La mayoría del tiempo parecen estar entusiasmados o apresurados. No les intimida fácilmente la muchedumbre, porque les encanta estar en medio de lo que está pasando! Si un amigo les llama pegunta: "¿Te gustaría ir a...?" no han han escuchado todo lo que necesitan, y la respuesta es "¡Si!" Ellos buscan hacer muchas cosas a la vez. En lugar de buscar la emoción, ellos la crean. No es necesario que vayan a las fiestas... ¡ellos son las fiesta! Se lanzan de lleno y sin dudas a la piscina de la vida!

¡Ellos son optimistas y positivos. Buscan el diamante en cada trozo de carbón o el oro en cada terrón. Esperan que las cosas salgan bien o al menos poder hacer que las cosas resulten bien. Generalmente, esperan ganar, y con frecuencia ganan. Por lo usual, el aspecto exterior y las acciones les valen más que las cualidades internas y sus pensamientos. Ellos ven la vista panorámica y no se concentran en los detalles.

Usualmente estan envueltos en proyectos comunitarios, clubes cívicos, grupos de iglesias y en toda clase de organización donde con frecuencia ocupan puestos de liderazgo. Les gusta tener las cosas a su cargo, no porque ellos hagan la mayoría del trabajo, ¡sino porque les gusta decirle a los demás qué hacer! Son entusiastas y a la gente le gusta que estén a cargo. Cuando se siente a comer con estas personas, usted puede encontrar que mientras usted está todavía gozando su ensalada ellos están pidiendo el menú de postres. Realmente creen que si lo poco es bueno, ¡lo mucho debe ser aún mejor! Deben aprender que es posible que lo preciso sea lo poco, y no lo mucho!

Este tipo de persona es enérgico. Con frecuencia planea más de lo que puedan abarcar. Por lo usual, habla más rápido, trabaja más duro, y logra la ayuda de otros. Puede hacer eco a las palabras del General George S. Patton quien dijo "Guíame, sígueme o sal de mi camino".

Las personas reservadas

Hay muchas maneras de describir a una persona que es más reservada o de ritmo más lento. No se lanzan a la piscina de la vida, más bien prefieren probar el agua primero. Después de todo, ¡quién sabe qué tan fría está el agua! Simplemente se contienen. No hablan con tanta franqueza, o tan pronto, como la mayoría de la gente extrovertida. Sin embargo, no es por falta de interés. Cuando hablan, ¡usted querrá escucharlos!

Pueden ser como "la proverbial tortuga" de la fábula, a quien el conejo extrovertido y de ritmo rápido dejó atrás. Pero al igual que en la fábula, la tortuga puede terminar cruzando la meta final antes que todos aquellos que comenzaron la carrera como un flash. Puede que sean de ritmo más lento, pero tienen la paciencia y resistencia para completar la tarea. El siguiente refrán comparte un secreto importante acerca de estos individuos:

> *Las batallas de la vida no siempre las gana*
> *El hombre más fuerte o veloz,*
> *Sino tarde o temprano el hombre que vence*
> *será él que cree poder ganar.*

Las personas reservadas se interesan primero por los detalles de la situación antes de hacer algo, porque no les gustan las sorpresas. Prefieren tener un plan seguro antes que resolver los problemas sobre la marcha. Son cautelosos y poco deseosos de participar en demasiadas actividades. Tienden a ser más pasivos y se contentan con ver el partido en lugar de jugarlo.

Las personas reservadas, o de ritmo lento, son analíticos y discernidores. Se concentran en fundamentos y los detalles, no tan sólo en la vista panorámica ó en las apariencias externas. Estas características les ayudan a ver rapidamente la realidad de la situación. Para estas personas, la calidad y la sustancia son de importancia.

Prefieren operar entre bastidores para completar la tarea y asegurárse de que todo se ha hecho correctamente. Tiene más dificultad en comenzar una conversación con un extraño que para una persona extrovertida, pero lo que comparten es de valor y bien vale la espera. Prefieren tener uno o dos buenos amigos que en lugar de rodearse de multitud de conocidos.

La actuación de su motor

Ilustremos estos dos tipos de personas. Cada uno de nosotros tenemos un "motor interno" que nos impulsa. Tiene un ritmo rápido que nos hace más extrovertidos, o un ritmo más lento que nos hace más reservados. En la ilustración a continuación, hemos dividido nuestro círculo con una línea horizontal. Las flechas muestran que la sombra más obscura, cerca de la punta, indica mayor intensidad de esa característica, mientras que la sombra mas clara, cerca del centro de la línea, muestra menos intensidad en esta actividad de motor. Usted puede ser extremadamente **extrovertido** o **reservado**, o usted puede ser moderadamente **extrovertido** o **reservado**. (*Recuerde,¡ su medio ambiente también afecta su estilo de personalidad!* Por lo tanto, dependiendo de su medio ambiente, en momentos, uno puede ser influenciado a ser más

EXTROVERTIDO

RESERVADO

extrovertido y en otros, más reservado. Sin embargo, para efectos de esta ilustración, simplemente debe saber que en general usted suele ser o más extrovertido o más reservado.)

Es probable que ya se ha identificado más con un lado o el otro del círculo. No importa cuál lado del círculo sea más cómodo para usted, puede ver que ambos tipos son de valor. Los dos tipos son distintos, y necesarios. Necesitamos personas extrovertidas, de ritmo acelerado que pueden poner las cosas y llenar a la gente de emoción. Aunque este es su enfoque natural, pueden llegar a tomar conciencia de la necesidad que tienen de equilibrio en su propio estilo de personalidad y luego aprender a ser más estables y cautelosos. Necesitamos personas reservada y de ritmo más lentos para atender a los detalles y mostrar mayor sensibilidad con la gente. Estas personas pueden darse cuenta de la necesidad tener equilibrio en su propio estilo de personalidad y aprender a ser más exigente e inspirador.

¿Es usted una persona orientada hacia la tarea o hacia las personas?

También podemos cortar el círculo de manera vertical, representando dos clasificaciones más de la personalidad humana. Algunas personas se orientan más hacia las tareas mientas otras se orientan más hacia la gente.

Las personas orientadas hacia la tarea disfrutan de cosas como hacer planes o trabajar en proyectos. A las personas orientadas hacia la gente les gusta relacionarse con otras personas y gozan de conversaciones con ellas mientras van desarrollando una amistad cercana.

Personas orientadas hacia la tarea

La gente orientada hacia la tarea toma gran placer en un trabajo bien hecho. Nos referimos a ellos como "*de alta tecnología*". Se enfocan en el funcionamiento de las cosas. A ellos les gusta hacer que las cosas funcionen, así que les gusta usar la tecnología. Para este tipo no hay nada mejor que una máquina bien ajustada, lubricada y en funcionamiento óptimo. Hablan de forma y funcionamiento. Quieren que la gente y las cosas estén en la mejor forma y mantenimiento para realizar la tarea que está a la mano. Adoran la banca en Internet, donde pueden acceder su estado de cuenta en cualquier momento. No sólo hablan al respecto sino que realmente utilizan ésta y otras formas de nuevas tecnología. Puede que todavía lleven su propio saldo en la cabeza o papel, pero adoran esta forma de conveniencia. Disfrutan de consultar su banco y tener acceso a sus datos financieros en cualquier momento de día o noche.

Estas personas son muy buenas para trabajar en proyectos. Les es un verdadero gusto meterse en el proceso y ver cómo se desarrolla el trabajo y luego cómo se alcanza. Son excelentes planificadores que pueden percibir el final del trabajo desde su comienzo. ¡Son los que arman planes que funcionan! Coinciden con Ralph Waldo Emerson cuando escribió, Lo único que me importa es lo que debo hacer yo, no lo que piensa la gente."

Una persona orientada hacia la tarea ¿cómo abordaría una tarea? Si uno lo ve limpiar su patio con un rastrillo un sábado de mañana, lo ha de ver salir primero con un rastrillo, evaluar el patio como lo haría un general preparando los planes de batalla. Luego, limpia una sección del patio a la vez, completando el trabajo de la forma más eficientemente posible.

Imagine que su vecino más orientado hacia la gente sale para dar una vuelta relajante y agradable ese sábado de mañana. Cuando los dos amigos se ven, el que está limpiando el patio responde con un breve, "¡Hola!" A la vez, no deja de limpiar. Simplemente sigue usando el rastrillo mientras piensa en secreto, "O, no, espero que mi vecino no se pare a conversar. ¡No estoy aquí para hacer visita! ¡Estoy aquí para limpiar!" Si el vecino inesperado continúa hablando, puede verse interrumpido por su amigo que está limpiando, diciendo, "Discúlpeme; regreso enseguida." ¿Sabe a donde va? Si, ¡va al garaje a buscar otro rastillo para su amigo! Piensa para sí mismo, "Dos pueden limpiar mejor que uno." Si él desea hablar, estoy contento de escuchar, con tal de que pueda terminar este trabajo." La persona orientada hacia la tarea también disfruta de conversar, pero tiene que terminar su trabajo. Es simplemente la forma en que fue diseñado.

Personas orientadas hacia la gente

Nuestros amigos orientados hacia lagente son muy diferentes. Estan más interesados en las relaciones que tienen con otras personas que en finalizar la tarea. Estas personas son más sensibles y estan interesados en los sentimientos de los demás. Les encanta hablar y compartir sentimientos juntos. Tan sólo les fascina estar con otra gente.

Imagine ahora que un vecino orientado hacia la gente necesita barrer su patio. Esta persona esta más interesada en los sentimientos de los demás, por tanto manejaría el trabajo del patio del sábado en la mañana de una manera muy diferente a la persona orientada hacia la tarea. Más que estar impulsado a completar la tarea, el comenzaría el proyecto, porque está más preocupado con el que pensaran los vecinos si el patio luce desarreglado. Se siente inclinado a barrer el patio, para que sus vecinos lo aprueben y les guste y estén contentos con él. Tiene una consciencia fuerte de las necesidades y deseos de las otras personas.

Si alguien camina cerca de él y para a hablarle mientras está barrer, sonreirá y pensará, "¡Esto es maravilloso! Me encanta hablar con este vecino!" Luego probablemente diría, "Por que no vamos a la casa a tomar una taza de café y a hacer visita? De todas maneras no quería barrer ahora! Puedo terminar luego. Así es la naturaleza de la personalidad orientada hacia las personas. La vida es para gozar las amistades con otras personas.

Su compas de actividad

Ilustremos este concepto. Así como tenemos un motor que nos impulsa, también tenemos un compás que nos acerca más hacia las tareas o hacia las personas. Porque somos ya sea orientados hacia la tarea o hacia las personas, de tal modo que somos personas orientadas hacia la **tarea** o hacia las **personas**.

T A R E A

P E R S O N A S

En la Ilustración de la derecha, la flecha indica que la sombra mas clara, cerca de la línea del centro, muestra menor intensidad en el compás de actividad, mientras que la sombra más oscura hacia cada punta, revela más intensidad en cada actividad. Usted puede ser extremadamente orientado hacia la **tarea** o hacia las **personas**, o usted puede ser moderadamente orientado hacia la tarea o hacia las personas.

Usted quizás se ha identificado más con uno de los dos lados del círculo. No importa cual lado del círculo es más cómodo para usted, puede ver que ambos tipos son valiosos y que simplemente son diferentes. ¡*Necesitamos ambos tipos*! Necesitamos personas orientadas hacia la tarea para planear nuestro trabajo y acabarlo. Aunque ésta sea su tendencia natural, pueden ser conscientes de la necesidad de tener un balance en su propio estilo de personalidad, aprendiendo a ser más conversadores y a considerar más los sentimientos de otros. Necesitamos los tipos orientados hacia las personas para involucrar a todos y hacer sentir a cada uno más cómodo. Pueden ser conscientes de su necesidad de balance de su propio estilo de de personalidad aprendiendo a planear su trabajo y luego trabajar su plan.

Pongamos Todo Junto

Cuando ponemos juntos al motor de actividades de los tipos extrovertido y reservado con el compás de actividades para tipos orientados hacia la tarea o hacia las personas, podemos ver los cuatro cuadrantes del **Modelo de Comportamiento Humano** ilustrado en la siguiente página.

Vemos que :

*EL TIPO **D** ES EXTROVERTIDO Y ORIENTADO HACIA LA TAREA.*

*EL TIPO **I** ES EXTROVERTIDO Y ORIENTADO HACIA LA GENTE*

*EL TIPO **S** ES RESERVADO Y ORIENTADO HACIA LA GENTE*

*EL TIPO **C** ES RESERVADO Y ORIENTADO HACIA LA TAREA*

En resumen

El Tipo D

EXTROVERTIDO

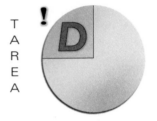

T
A
R
E
A

El Tipo **D** esta en la mitad superior del círculo, el cual es la mitad extrovertida, y esta en el lado izquierdo, el cual es del lado orientado hacia la tarea. De modo que, el tipo de personalidad **D** es **extrovertido** y **orientado hacia la tarea.**

El Tipo I

EXTROVERTIDO

P
E
R
S
O
N
A
S

El Tipo **I** esta en la mitad superior del círculo el cual es la mitad extrovertida, y esta en el lado derecho, el cual es el lado orientado hacia la gente. De modo que, el tipo de personalidad **I** es **extrovertido** y **orientado hacia la gente.**

Ambos tipos, el **D** y el **I** son activos y extrovertidos, pero cada uno va y hace en distintas direcciones. El **D**, como está orientado por la tarea, tiene un deseo fuerte de dirigir las actividades de muchas personas para llevar a cabo un determinado trabajo. El **I**, orientado hacia las personas, desea lucir bien frente a los demás personas. Un **I** desea posición social y prestigio.

El Tipo S

P
E
R
S
O
N
A
S

RESERVADO

El Tipo **S** esta en la mitad inferior del círculo, el cual es la mitad de las personas reservadas, y está en el lado derecho del círculo, el cual son las gentes orientadas hacia las personas. Por tanto el tipo de personalidad **S** es **reservado** y **orientado hacia la gente**.

El Tipo C

T
A
R
E
A

RESERVADO

El Tipo **C** esta en la mitad inferior del círculo, el cual es la mitad de las personas reservadas, y esta en el lado izquierdo, el cual son las personas orientadas hacia las tareas. Por tanto el tipo de personalidad **C** es **reservado** y **orientado hacia las tareas**.

Ambos tipos, el **S** y el **C** son reservados, pero tienen distinta orientación. El **S**, siendo orientado hacia la gente, tiene un deseo fuerte de complacer a las demás y hacer sentir a todo el mundo cómodo. El **C**, siendo orientado hacia la tarea, quiere enfocarse en sus planes y procedimientos para hacer un buen trabajo.

Recuerde todos los cuatro tipos de personalidad tienen una perspectiva importante que ofrecernos. Ningún tipo es mejor que el otro. Con este modelo no estamos buscando conductas correctas o incorrectas, ó comportamiento bueno o malo. Cada tipo de comportamiento es importante para ser considerado en cualquier situación. Cada tipo tiene comportamiento que es efectivo y adecuado en algunas situaciones. Estamos explorando las diferencias en los estilos de personalidad, para poder entender mejor a las otras personas y a nosotros mismos.

¿Que Significan las Letras DISC ?

Las letras en los cuatro cuadrantes son significativas, porque son su clave para recordar le **Modelo de Comportamiento Humano DISC**. En la medida que visualizamos estos cuatro cuadrantes del circulo de manera conjunta, podemos visualizar el Modelo **DISC**. Cada uno de nosotros es una mezcla única de estas cuatro partes. Introduzcamos ahora el simbolo y el color para cada tipo **DISC**:

El tipo **D**

Utilizamos el simbolo de exclamación para describir el tipo **D**, porque el tipo **D** ¡es enfático en todo! Notará que el **D** está en el cuadrante superior izquierdo del círculo. El símbolo de exclamacion en el logotipo de la contraportada de este libro es verde. Verde es nuestro color para el tipo **D** porque como una luz verde de semáforo indica ¡IR! Seis claves o características describen al tipo **D** extrovertido y orientado hacia la tarea: Dominante, Directo, Duro (exigente), Decidido, Determinado y Dinámico. El capítulo dos esta dedicado al poderoso tipo **D**, por tanto, podemos anticipar y esperar esa información.

El tipo **I**

Utilizamos una estrella para describir el tipo **I** porque al tipo **I** le encanta ser la estrella del espectáculo! Notarás que el **I** esta en el cuadrante superior derecho del círculo. La estrella en el logotipo al respaldo de la cubierta de este libro es roja. El rojo es el color para el tipo **I** porque es brillante y excitante y grita *pare y mireme!* Seis claves y características describen el tipo **I**, extrovertido y orientado hacia la gente: Inspirador, Influyente, Impresionable, Interactivo, Impresionante e Involucrado. El capítulo tres esta dedicado a este tipo **I** que ama a las personas, por tanto ya podemos anticipar esta discusión.

El tipo S

Usamos el símbolo de más y menos para describir el tipo **S**, porque los **S** son flexibles y tienden más o menos a responder en la forma que se les pregunte! Notará que la **S** está en el cuadrante inferior derecho del círculo. El logotipo de más ó menos que está en la contraportada de este libro es de color azul. Azúl es nuestro color para el tipo **S** porque es un color de armonía y paz, justo como los colores del cielo. Seis claves o características describen al tipo **S** reservado y orientado hacia la gente: **S**ustentador, e**S**table, **S**osegado, **S**ervicial, **S**ocial, **S**entimental y **S**ensible. El capítulo cuatro está dedicado al predecible tipo **S**, así que podemos anticipar sus enseñanzas.

El tipo C

Utilizamos un símbolo de interrogación para describir el tipo **C** porque al tipo **C** ¡le encanta cuestionar todo! Notará que el **C** esta en el cuadrante inferior izquierdo del círculo. El símbolo de interrogación del logotipo en la contraportada de éste libro es amarillo. Amarillo es nuestro color para el tipo **C** porque significa cautela, como el amarillo lo es en la luz de semáforo. También nos recuerda la energía radiante del sol describiendo así la intensidad del tipo **C**. Seis claves o características, describen el tipo **C**, reservado y orientado hacia la tarea: **C**auteloso, **C**alculador, **C**ompetente, **C**omprometido, **C**ontemplativo y **C**uidadoso. El capítulo cinco está dedicado al correcto tipo **C** así podemos anticiparnos a esta información.

Las claves

Hasta el momento, hemos presentado las claves del **Modelo de Comportamiento Humano DISC**. En los siguientes capítulos, exploraremos cada tipo de manera mas detallada. Verá que cada tipo es diferente y especial. A medida que usted piensa más en las claves de cada tipo, se dará cuenta que realmente se identifica con uno ó más de estos tipos.

La mayoría de las personas predominan fuertemente en dos y algunas veces en tres tipos. Sin embargo, puede que se relacione justo con una de las claves. Y adicionalmente, puede que se sienta que realmente no entendió nada de uno de los tipos. Esto es perfectamente natural, dado que, aunque todos tenemos algo de los cuatro tipos en nosotros, usualmente tenemos uno a dos tipos dominantes y uno o dos tipos no dominantes. La recompensa por aprender acerca de nuestros tipos no dominantes es invaluable, porque *allí es el lugar donde puede aprender y crecer en su propia vida personal.* También es una gran oportunidad para aprender más sobre una persona muy allegada a usted.

¡*Tú Tienes Estilo!* así es tú tienes claves, de todos los cuatro tipos clásicos **DISC**. Tu personalidad tiene color como el logotipo en la contraportada de este libro. Exploremos como cada tipo **DISC** colorea su estilo único de personalidad.

Capítulo 2

!

El tipo Dominante

Quienquiera que dijo: "¡Cuando la marcha se pone difícil, el fuerte se pone en marcha!" ¡En verdad describía al tipo Dominante **D**! Se identifican con el color verde. Para ellos significa la luz verde - ¡ADELANTE!, el color de las cosas que crecen y el poder del dinero. Son emprendedores y saben cómo hacer que las cosas sucedan. Su compostura natural los hace confiados y seguros en sí mismos, así que pueden ser muy convincentes cuando quieren que uno les haga algo. Un **D** pone las cosas en movimiento de forma directa y ejercerán el control hasta hacerlas cumplir. Este tipo **D** extrovertido y orientado hacia las tareas es altamente competitivo. La vida es un juego con una serie de retos, y ¡él lo piensa ganar! Les encanta jugar cualquier juego que puedan ganar. Al fin de cuentas, ¡el objetivo de cada juego es ganar!

Ponga a un tipo Dominante en cualquier situación desafiante, y estará en su elemento. Su enfoque será muy determinado. Son decididos y no les molesta correr riesgos en el proceso de alcanzar su meta. Un **D** dijo una vez: "¡Pero, es que no entiende! Si no fuese imposible, ¡no sería divertido hacerlo!"

Adoran los deportes como el buceo o paracaidismo porque por naturaleza son aventureros. ¡Quieren volar alto, correr rápido, bucear profundo, y hacer lo que nunca antes se ha hecho! El suyo es un espíritu pionero. Un proyecto difícil, competencia fuerte, situaciones de presión vigorizan los **D**. Su determinación vencerá todos los obstáculos.

Quizás más que cualquier otro tipo, los **D** buscan actividades donde puedan estar a cargo. Tienen el talento de dirigir los esfuerzos de todos los participantes, así que son líderes dinámicos. Nunca dicen "Ahí muere", prefieren decir... "Si a la primeras no logras tener éxito, ¡vuelve a tratar!" Tienen ambición y harán más de lo que les pide, si con un esfuerzo extra pueden vencer a la competencia. Los **D** son instigadores y emprendedores. Hacen girar al mundo. Son líderes e innovadores. Tienen qué hacer, a dónde ir y a quién ver. Si usted trabaja o juega con un **D**... ¡más vale que avance, porque ellos no esperan!

No espere mucha lástima de los **D**. Por naturaleza, sienten que la necesidad de compasión es signo de debilidad. No quieren ser percibidos como débiles, y suponen que usted tampoco lo quiere. No demuestran mucho calor humano, ni empatía. No vacilarán en decir, "¡Bienvenidos al mundo real! Ahora, ¡madure y regrese a trabajar!" Son directos en la forma en que abordan los problemas, y esto se nota en lo que dicen. Pueden parecer bruscos cuando hablan sin rodeos, pero simplemente quieren llegar a lo que es importante lo antes posible. Los **D** son muy exigentes, tanto con sí mismos como con los demás. Muy rara vez aceptan una respuesta de "no". ¡Para ellos, el "no" significa "vuelva a preguntar más tarde"! Si usted sigue con el "no", pensarán en otra forma de convencerlo.

No pretenden ser altaneros – es que son tan dinámicos y determinados que quieren seguir adelante. No temen quedarse solos. ¡Están decididos a avanzar y alcanzar la victoria! Si le pregunta a un **D** su opinión, por seguro que se lo dirá. Por lo usual, darán un bosquejo de lo que quieren hacer y evaluarán los problemas que enfrentarán. Para los **D**, las dificultades y los problemas son contratiempos temporales, entonces no guardan rencor siempre y cuando hay progreso. Se concentran en la meta, y preferirían olvidarse de los detalles. Son por naturaleza dominantes y tienen una presencia de comando que los hace decir...

> " *Cumpla el trabajo -¡simplemente, hágalo! ¡Supere la oposición y logre sus metas! ¡Los ganadores nunca se dan por vencidos y los vencidos nunca ganan!*

Fortalezas del tipo Dominante

Todos cuatro tipos **DISC** tienen grandes cualidades que imparten a nuestro mundo mucha riqueza y diversidad. Aunque reconocemos que cada uno de nosotros tenemos una perspectiva natural de personalidad, también reconocemos que todos tomamos decisiones a diario sobre la forma en que nos vamos a comportar. Podemos llegar a entender que con frecuencia son nuestras fortalezas, llevadas a un extremo, las que nos causan más desilusión en la vida. Esta próxima sección puede ayudar a las personas Dominantes a reconocer las fortalezas de su comportamiento bajo control, y ver cómo los problemas ocurren cuando esas fortalezas son empujadas fuera de control.

VALIENTE ..... puede volverse desconsiderado

Los **D** con gusto aceptarán un reto y harán lo necesario para realizar el trabajo, sin importar lo que tengan que hacer. Perseverarán en momentos de adversidad, siendo *valientes*, cuando otros quizás se sienten derrotados y quieren darse por vencidos. Sin miedo al riesgo, tomarán una decisión no popular y convencerán a otros a que los sigan. John F. Kennedy expresó esta actitud **D** en su libro, Perfiles de Coraje (*Profiles in Courage*), cuando escribió,

" En cualquier arena de la vida uno puede abordar el reto del coraje, cualquiera que sean los sacrificios a los que se enfrenta al obedecer su consciencia; la pérdida de sus amigos, su fortuna, su complacencia, hasta el aprecio de sus semejantes - cada hombre deberá decidir por sí mismo el curso que seguirá."

Sin embargo, cuando son empujados a un extremo y salen fuera de control, pueden volverse *desconsiderados*. Hacen o dicen cosas para lograr sus metas que pueden causar dolor y que pudieron evitarse con un poco de paciencia o sensibilidad hacia la gente involucradas. Deben aprender a recordar que causarles dolor a esas personas puede impedirle alcanzar sus metas futuras, o hacer que otros rechacen su liderazgo.

Rapido en responder... puede volverse descortés

Haga preguntas a los **D**, y quizás le contesten antes de que termine la pregunta. Bajo control, *son rápidos en responder*, directos y al grano. Fuera de control, los **D** pueden parecer *faltos de cortesía*, porque hacen a un lado la charla y confrontan los temas reales de forma directa.

Para otros, su rapidez en responder puede parecer altanera y ofensiva, cuando en ningún momento fue su intención dar esa impresión. Deben aprender a respetar lo que sienten los demás; así, su enfoque directo y deliberado puede mantener bajo control a las emociones y fomentar el autoconfianza de quienes los rodean.

Orientado hacia la meta... Puede convertirse en impaciente

No solo que establecen *metas*, ¡las alcanzan! Una vez que los **D** deciden hacer algo, se lanzan a la meta. Si su meta parece más difícil de lo que esperaban o los demás tardan demasiado en lograrla, pueden tornarse *impacientes*. El tomar control a través del liderazgo es parte natural de su estilo, entonces pueden volverse impacientes y asumir el liderazgo antes de ofrecérseles o de haberlo ganado. Los **D** buscan sus objetivos enérgicamente y eligen trabajar con otras personas para así ¡Traerlos consigo hacia la meta!

Orientado a los resultados...
puede volverse prepotente

La orientación de los **D** hacia las tareas los mantendrá muy concentrados en lograr los *resultados* que desean. ¡Y los resultados importan! Es difícil medir la intención, el deseo ó la emoción, pero ¡cualquiera puede medir los resultados! Los **D** deben recordar que los demás quizás no tengan el mismo empuje. Si se vuelven *prepotentes*, crearán resistencia entre las mismas personas que les podrían ayudar a alcanzar sus resultados. Deben entender que el ganar a cualquier costo puede costarles las relaciones personales, tal que después pueden estar arrepentidos. Los **D** pueden apreciar su propia automotivación y buscar liderar de una manera que permite a los demás motivarse a sí mismos.

Deliberado...
puede volverse dictador

Los del tipo **D** hacen las cosas muy *deliberadamente* y deben tener un propósito para cualquier cosa que hacen. Gozan de planear sus metas y estrategias, para encontrar la forma más rápida de alcanzarlas. Están seguros que de sus planes funcionarán. En su determinación, pueden rápidamente convertirse en *dictadores*, forzando a la gente a ajustarse a sus planes y dejando de escuchar la opinión de otros. Es posible que la gente deje de trabajar con ellos y los **D** no entenderán el porqué. Cuando esto pasa, la persona dominante tiene la oportunidad de aprender que la negociación tiene más poder que la presión y que es mejor trabajar con la gente que tener a esa misma gente en su contra.

Seguro en simismo...
puede volverse orgulloso

Las personas del tipo **D** creen que pueden vencer cualquier barrera ó resolver cualquier problema. Esta *confianza* los sustenta mientras abordan los problemas que inevitablemente se presentan en el camino del éxito. El tener éxito de manera muy rápida y fácil puede hacerlos *orgullosos* y dar la impresión de tener todas las respuestas. Las personas con frecuencia y calladamente se alejan de ellos, porque se sienten que los **D** no los necesitan o solo se preocupan por sus propios planes. Las personas dominantes deben darse cuenta, que mientras ellos saben que pueden hacer grandes cosas, pueden hacer aún mucho más cuando otras personas les ayudan.

Directo...
puede volverse ofensivo

¡Siempre sabrá a qué atenerse con los **D**! Dicen lo que piensan y piensan lo que dicen. En sus relaciones con las personas, tratarán los problemas de forma directa en lugar de guardar resentimientos. Cuando es necesario manejar con sensibilidad una situación complicada o difícil, este modo directo puede resultar ofensivo y distanciar a las personas involucradas. Si se pudieran escuchar a si mismos, quizás entenderían cómo sus palabras pueden parecer *ofensivas a otra persona*. Un entendimiento de los estilos de personalidad puede ayudarlos a apreciar cómo puede hacer una gran diferencia decir la misma cosa de otra manera.

Autosuficiente...
puede volverse arrogante

Los **D** cuidan de si mismos y *dependerán* primero en si mismos para obtener los resultados que desean. Retan a otros con su ejemplo. Los **D** inducen confianza en otros para creer en simismos y lograr sus metas. Hacen eco a las palabras de Napoleón, "¿Circunstancias? ¡Yo creo las circunstancias!"

Cuando los **D** están fuera de control, se convierten en *arrogantes*. Piensan que pueden hacer cualquier cosa, y que pueden hacerlo solos. Otros pueden sentir el peso de su arrogancia cuando los **D** culpan a otros por sus propias fallas. Les ayudara recordar que son personas imperfectas, al igual que todos nosotros.

Franco...
puede volverse cáustico

En el caso de los **D**, lo que ve es lo que recibe. Le explican claramente y con *franqueza* la situación y lo que quieren lograr. Los **D** podrían coincidir con Sir Winston Churchill quien dijo, "Si tiene algo que decir, no lo trate de hacer con sutileza ni ingenio. Use un martinete. Golpee el punto una vez. Luego vuelva a darle. Luego vuelva, y ¡déle una tercera vez con fuerza!"

Ya que la meta les es tan importante, no toman en cuenta sus propios sentimientos e igualmente pueden descartar los sentimientos ajenos, volviéndose *cáusticos* (agresivos) hacia la gente. Esperan que la gente elija sentir de la misma forma que ellos han elegido. Deben aprender a considerar a los demás: darse cuenta de que otras personas sienten de otra manera, y respetar esas maneras. Los **D** se beneficiarán de las mejores relaciones que formará este respeto.

Competitivo...
puede volverse despiadado

¡A los **D** les encanta hacer de todo un juego que pueden ganar! Para ellos, la *competencia* les parece una motivación natural para mejorar. En cualquier situación, les impulsa su espíritu competitivo. Quieren ganar más que cualquier otra casa y pueden abandonar su equipo si no les da resultados.Cuando se convierten en *despiadados*, para así poder ganar, hieren a muchas personas. Los **D** no se dan cuenta de que se están haciendo daño a largo plazo.

Deben aprender el significado de su TIP secreto:

 Antes de poder estar EN autoridad, debe primero aprender a estar BAJO autoridad.

Actitudes y preferencias del tipo Dominante

El símbolo de exclamación representa ¡el poder de este estilo! Son exigentes, primero con sí mismos y luego de los demás. Podemos admirar su valor y deseo de abordar cualquier tarea difícil. Los del tipo **D** son directos. Dicen lo que piensan y piensan lo que dicen.

El tipo Dominante podria decir...

" ¡ Me gusta un reto! Algo que para usted puede ser divertido para mi puede ser aburrido, si no le veo un fin o propósito. Déme los problemas más difíciles, porque puedo con ellos. Como ve, no me gustan las conversaciones puramente sociales que no tienen propósito específico. Me encanta un debate acalorado, porque me habilita a tomar decisiones rápidas. Por favor, no me dé tareas rutinarias. La invención de nuevas formas de hacer las cosas es más de mi gusto. De hecho, si me da una tarea, no me limite a un solo lugar de trabajo y no espere que sea responsable por los detalles menores. En realidad, me encanta hacer varias cosas a la vez y abandonaré una tarea si no me presenta el reto que necesito. Trabajo a un ritmo acelerado, y rindo mejor si hay una competencia o una fecha límite. Hago que funcionen las cosas, pero me gusta obtener las opiniones de expertos más que realizar proyectos que requieren de análisis crítico de largo plazo. ¡ Ya basta con la charla – pongámonos a trabajar! "

Personas conocidas del tipo Dominante

La investigación indica que tan solo el 10 % de la población general es de este tipo Dominante. Es el más pequeño de los grupos DISC, pero ¡son lo suficientemente poderosos como para dejar su marca en el mundo! En la medida que ha leído este capítulo, sin duda, ha pensado en amigos y familiares con este estilo. Hay una correlación natural entre el tipo de trabajo y la persona que lo ejerce. Como puede imaginarse, los tipos Dominantes son excelentes productores, líderes y constructores en cualquier campo. Son maravillosos entrenadores y oficiales militares. Son buenos policías y líderes políticos. Pueden llegar a ser grandes empresarios, dueños de negocios y presidentes de empresas. ¡Son buenos dictadores! Puede variar su profesión o papel en la vida, pero su personalidad no cambiará. Les agitará por dentro, impulsándoles a ir y crecer, mover y sacudir, y alcanzar mejores y más amplios horizontes. Nunca están satisfechos con el estatus quo. Están siempre en búsqueda de ideas mejores y formas más grandes de hacer las cosas.

De estilo Dominante...

" Traté de ser razonable... No me gustó. "

   — *CLINT EASTWOOD*

" La verdad es que uno siempre sabe lo que se debe hacer. La parte difícil es ¡ hacerlo! "

   — *NORMAN SWARTZKOPF*
   Gereral del Ejército de los Estados Unidos

" Nadie lo puede hacer sentirse inferior sin su consentimiento"

— ELEANOR ROOSEVELT

" No creo que nada sea irrealista... si uno cree que lo puede hacer"

— MIKE DITKA

" No pierda tiempo pegando a una pared esperando transformarla en una puerta."

— LAURA SCHLESSINGER

" La seguridad es mayormente una superstición, No existe en la naturaleza... la vida es ó una aventura ó nada."

— HELEN KELLER

" Las águilas no forman bandadas... Hay que encontrarlas una a la vez."

— ROSS PEROT

" Yo era de la clase que nadie pensaría que podría triunfar. Tenía un acento raro de Boston. No podía pronunciar mis Rs. No era una belleza."

— BARBARA WALTERS
Famosa periodista americana

" No mido el éxito de un hombre por lo alto que suba sino por lo alto que rebota cuando toca fondo."

— GEORGE S. PATTON

" Siempre fallará el 100 % de los tiros que no haya intentado."

— WAYNE GRETSKY

El tipo Dominante en resumen

A medida que hemos definido y descrito el tipo **D** alto, habrá encontrado muchas descripciones que le corresponden. Si así es, diríamos que tiene un estilo de personalidad **D** alto. De otra manera, puede sentir que este capítulo describe a alguien muy diferente de usted. En ese caso, diríamos que tiene un estilo de personalidad **D** bajo. Para un análisis individual de su estilo de personalidad, la *Página de Puntage* (de Personality Insights) le permite explorar cómo el tipo Dominante forma parte de su estilo de personalidad. (Llame a nuestras oficinas o visite nuestro sitio Web para informarse más).

Nos atraen los del tipo Dominante, porque son líderes dinámicos a quienes les encanta tomar el mando. Poderosos y ambiciosos, se esfuerzan por alcanzar sus metas. Son impávidos ante la dificultad y oposición y el reto les da alas. El conflicto parece llenarlos de energía. Si se encuentran en un ambiente estático, ¡cuidado! que ellos aumentarán el paso, despertarán a la gente y harán que las cosas sucedan. Buscan un ambiente que incluye nuevos retos y donde están libres de supervisión, porque viven para tomar decisiones que solucionen problemas. Su prioridad subyacente en cualquier decisión es el poder. Ejercitan el poder en la toma de decisiones con el fin de solucionar problemas y alcanzar sus metas. Cuando están bajo control, los **D altos** son poderosos y enérgicos. Los **D** pueden traer a la realidad lo que otros pueden sentir es un sueño imposible.

¡Todos necesitamos en nuestras vidas a personas con el estilo Dominante!

Capítulo 3

El tipo Inspirador

¡Al tipo Inspirador **I** le encanta estar con la gente! Ya sea con una persona o con una multitud, este tipo alcanza su plenitud cuando tiene contacto con otros... y entre más, ¡mejor aún! Los **I** se identifican con el color rojo, porque para ellos ¡todo es brillante y emocionante! Quieren que otros vean una luz roja que dice: "¡Pare, y míreme!" Y la sí gente para y mira. Las personas gozan estando con ellos porque siempre dan esperanza. Las cosas pueden parecer tristes de momento, pero el tipo Inspirador está siempre esperanzado y seguro que el mañana será un día mejor. Sociable y encantador, ¡mañana será un mejor día si lo pasa con ellos! Cuando está con ellos, uno se siente bien. Para ellos, todo en la vida es pasar un buen tiempo. Cada vez que están juntos, le ayudan a pasar una gran experiencia. Después de todo, ¡les encanta estar en la cima del mundo!

En pocos minutos, un **I** puede conocer a un desconocido y hacerlo sentir en casa. Los **I** son amigables y despreocupados y su naturaleza generosa les permite concentrar toda su atención en este nuevo amigo. Como ve, para el **I** no hay desconocidos. ¡Son simplemente amigos que esta persona interactiva aún no ha conocido! Usualmente disfrutan de una gama amplia de relaciones sociales de distintos caracteres. Su actitud optimista hace que quienes están con ellos se diviertan, y su disposición alegre les ayuda a que se lleven bien con casi todos.

A los **I** les gusta estar en el centro de lo que todos están haciendo. Son miembros de muchas organizaciones, clubes, y grupos en los cuales se ofrece prestigio y reconocimiento personal. A ellos les encanta estar al frente de un grupo. Los **I** son tan Influyentes que pueden vender bolas de nieve a un esquimal. Hacen que todo suene fantástico y con frecuencia exhiben más confianza que capacidad. Son tan expresivos y entusiastas que ¡pueden inocentemente hacer que las cosas suenen mejor de lo que realmente son! Proyectan una imagen pulida. Ya que son muy conscientes de su apariencia en frente de otros, normalmente son muy impresionantes.

Ya que son buenos para hablar, pueden hacerle creer casi cualquier cosa. Si son honestos pueden ser líderes Inspiradores. Si no, son buenos estafadores. Les encanta persuadir a la gente. Les gusta el arte de negociar. Se ha dicho que es fácil vender a un vendedor. Esto se debe haber escrito sobre el tipo Inspirador, pues son almas que por naturaleza confían y son muy impresionables, aceptando abiertamente lo que otros les dicen sin sospecha. Esto puede causarles problemas, porque también son impulsivos. Están propensos a lanzarse a la piscina de la vida cuando les suena divertido ó están de ánimo para hacerlo. Y se lanzan – a veces golpeándose en el cemento duro del fondo de una piscina vacía, cuando no han probado las aguas primero. Desafortunadamente, ¡sólo hacen frente a la realidad cuando la realidad les da en la frente! Por eso es que a menudo me gusta decir que los I pueden subir tan alto como una cometa pero cuando caen, caen hasta los suelos. Pero no se quedan desalentados por mucho tiempo, ¡pues pronto encuentran otra fiesta emocionante para disfrutar!

Los del tipo I son estimulantes. Se sienten de lo mejor cuando suceden cosas emocionantes. ¡Adoran armar un revuelo e iniciar la fiesta! La calma no es parte de su condición. Son por naturaleza magnéticos y se atraen un grupo de personas. ¡Los I son el alma de la fiesta! Los I son políticos en el mejor sentido de la palabra. Son alegres y amigables, así que atraen a la gente. Cuando se sienten convencidos de algo (y usualmente se sienten convencidos de las cosas), pueden expresar sus sentimientos de manera magnífica porque son altamente persuasivos. Queremos realmente creerles porque nos atraen, y porque nos hacen sentir tan bien acerca de la vida. Les gusta hacer que las cosas sean divertidas. Bromeando digo, "¡Ellos tienen todas las tuercas pero les falta un tornillo!" Como Peter Pan, no quieren crecer sino gozar cada momento de la vida como una gran aventura, Les encantaría que usted se les uniera, y casi que puede escucharlos decir,

"¡Soy todo suyo! Nos podemos divertir y si todos jalamos en la misma dirección, ¡nuestro éxito nunca terminará!"

Fortalezas del tipo Inspirador

Todos cuatro tipos **DISC** tienen grandes cualidades que imparten a nuestro mundo mucha riqueza y diversidad. Aunque reconocemos que cada uno de nosotros tenemos una perspectiva natural de personalidad, también reconocemos que todos tomamos decisiones a diario sobre la forma en que nos vamos a comportar. Podemos llegar a entender que con frecuencia son nuestras fortalezas, llevadas a un extremo, las que nos causan más desilusión en la vida. Esta próxima sección puede ayudar a las personas Inspiradoras a reconocer las fortalezas de su comportamiento bajo control, y ver cómo los problemas ocurren cuando esas fortalezas son empujadas fuera de control.

Optimista...
puede volverse irrealista

¡Es un placer simplemente estar aquí! ¡Para ellos la vida es una larga fiesta, y se mueren de ganas de que usted se les una! Esperan que todo sea maravilloso y emocionante, y se ven a sí mismos como las estrellas del espectáculo. Los tipos Inspiradores saben que hoy las cosas pueden ser poco prometedoras, pero cantan como la pequeña huérfana pelirroja Annie, "Si, seguro que hay sol mañana... dime cuanto apuestas que mañana... ¡sale el sol!" Su *optimismo* es contagioso, así que en momentos difíciles realmente animan a todos los que están a su alrededor. Desafortunadamente, a veces el optimismo no es suficiente. Empujados a un extremo, los I se pueden rehusar a confrontar la realidad, y con frecuencia se convierten en *irrealistas*. En la medida que su optimismo se hace extremo, pueden perder su credibilidad con los demás. Pueden ignorar hechos que son esenciales para una situación y sus resultados potenciales. Cuando sus sentimientos intensos les impiden ver realidad, en lugar de felicidad, diversión y emoción, pueden verse sorprendidos por el amargo desengaño. Por la experiencia, aprenden que las realidades difíciles y la complejidad de un problema no desaparecen con simplemente desearlo.

Persuasivo...
puede volverse manipulador

Son personas cautivadoras que adoran hablar de las personas fascinantes que han conocido. ¡Es asombrante el número de personas que han conocido! Cuando tratan de *persuadir* a una persona sobre su punto de vista, usan su talento por sacar de muchas fuentes ejemplos interesantes para sus ilustraciones. De esta forma pueden atraer a muchas personas a compartir su opinión. Sin embargo, si modifican los hechos demasiado los demás pueden sentir que son *manipuladores* – que sólo buscan influenciar a los demás para su propio beneficio. Esta manipulación puede causar gran resentimiento y severamente dañar la relación personal. No es fácil para el tipo Inspirador aprender a escuchar a otras personas, pero el escuchar les puede ayudar a aprender de ellos, y formar relaciones duraderas, con los demás.

Emocionante...
pueden convertirse en emocional

Están tan *emocionados*, y ¡su emoción es contagiosa! Cuando los I lideran, ¡su entusiasmo atraerá y energizará a las personas! Hacen que el trabajo sea tan divertido que las grandes metas parecen alcanzables, ¡y hasta que valgan la pena! A veces enfrentan la falta de aprobación o pasan vergüenza en público, porque de su emoción prometen lo que no pueden cumplir. Cuando esto pasa, pueden volverse *emocionales* y explotan con un ataque personal inesperado. Si se hacen responsables ante alguien, pueden llegar a ser más coherentes y, por lo tanto, más confiables. Este amigo puede ayudarles a recordar hacer lo que prometieron cuando estaban lo suficientemente emocionados como para hacer el compromiso.

Comunicador...
puede volverse indiscreto

¡No dudan de *comunicar* casi cualquier cosa a cualquier persona! ¡Cuán fácil es para un I alto entablar una conversación o explicar su punto de vista! Para la mayoría de la gente, es fácil escucharlos y disfrutan de estar juntos. Atraen a las personas por su ánimo y ayuda. Ya que les gusta hablar y compartir lo que saben y a quién conocen, pueden ser *indiscretos*. Relatan información íntima sin buscar hacerle daño a nadie. Esto fácilmente puede herir a los implicados y puede crear división en sus familias o grupos de amigos. Los I pueden aprender a reconocer información privilegiada y comenzar a proteger a los demás a través de un silencio que los honre.

Espontaneo...
puede volverse impulsivo

La vida sería mucho menos divertida sin la *espontaneidad* de los I. Están siempre listos a caminar por la puerta de oportunidad que puede llevar a resultados emocionantes e inesperados. Estarían de acuerdo con Boris Pasternak al decir, "La sorpresa es el mejor regalo que la vida nos puede dar." Sin embargo, cuando está fuera de control su naturaleza espontánea puede volverse *impulsiva*. Pueden quemar toda la energía en una sola idea importante y después brincar a otra oportunidad increíble sin producir resultados tangibles. EL aprender a usar metas de corto plazo puede ayudarles a seguir con algo después de que desvanece la emoción inicial.

Extrovertido...
puede volverse desenfocado

El I *extrovertido* irá a una fiesta y antes de irse habrá conocido a cada persona presente. El tipo Inspirador tiene el don de conocer a la gente. Por naturaleza, los I "estiran la mano y tocan a alguien." Tienen la maravillosa capacidad de hacer relajar a la gente, a menudo a través del humor que hallan en cualquier situación. Solo un I alto pudo haber dicho, "Estoy muriendo mas allá de mis posibilidades económicas..." ¡como dijo Oscar Wilde, para relajar a los demás con respecto a su muerte inevitable! A menudo, cuando tienden la mano a otros, pueden comprometerse en muchos lugares y con demasiada gente a la vez, haciéndolos sentir *fragmentados y desenfocados*. Es posible que necesiten concentrar su atención en lo que realmente les importa y aprender a gastar su energía y tiempo en lo que cuenta.

Apasionado...
puede volverse exagerado

Cuando creen en algo, ¡creen de verdad! Quedarán tan inspirados que se *apasionan* por compartir sus sentimientos e historias con los demás. El último restaurante al que fueron era simplemente el mejor lugar en el que han comido, por tanto ¡usted debe ir! La última película que vieron era la mejor película, ¡por tanto usted la debe ver! A veces pueden ser tan *exagerados* que la gente duda de que lo que ha dicho el I alto sea ó real ó alcanzable. Los I altos pueden compartir cómo se sienten, pero deben aprender a ser un poco más realistas y tener cuidado de no exagerar cuando cuentan sus historias.

Involucrado...
puede volverse desorientados

A los I altos les encanta estar en medio de lo que los demás están haciendo. Los I ponen su corazón y su alma en lo que están haciendo en el momento, así que ¡cuidado! Para los del tipo I, el aprender a escoger con quiénes se *involucran* es un paso importante. Cuando sopla el viento de la adversidad o cambia la opinión popular, ellos también cambiarán. Pueden volverse *desorientados* en sus actividades, porque ¡quieren experimentarlo todo.

Imaginativo...
puede volverse soñador

¡Que historias e ideas las que puede crear el tipo I! Su *imaginación* puede concebir lo que la mayoría no nos atreveríamos a soñar. Esos sueños nos ayudan a todos a imaginar una vida mejor de la que hayamos pensado posible. Y no se olvide, un sueño antecede a cualquier realidad que creamos. Siempre están deseosos ó dejando vagar su imaginación a aventuras emocionantes. Están convencidos de que, "el suceso más grande de su vida" sólo queda a la vuelta de la esquina. Cuando están fuera de control, su imaginación puede reemplazar la realidad, y se rinden a los *sueños con ideas que no tienen ni fundamento* ni propósito para alcanzar sus sueños.

Cálido y amigable...
puede volverse irresoluto

Cuando la gente conoce a un tipo inspirador, siente que el I alto es amigo por los sentimientos *cálidos y amigables* que experimentan cuando están con el I. Es el inicio de una maravillosa relación y el recién conocido responde por lo general con calidez y amistad. Desafortunadamente, el I puede enredarse en sus propios sentimientos y puede ser superficial en su amistad. El I alto puede olvidarse de los sentimientos de la otra persona a medida que se mueve a otra emocionante interacción. Una primera interacción cálida y amigable con un I fácilmente puede parecer *irresoluto en términos* de formar una amistad duradera, a menos que lo sustente un aprecio e interés por parte de la otra persona.

Por esto les damos este TIP secreto a nuestros amigos Inspiradores:

> *Es AGRADABLE ser importante, pero es más IMPORTANTE ser agradable.*

Actitudes y preferencias del tipo Inspirador

La estrella representa las ¡cualidades de estrella de este estilo! Son impresionantes y atractivos, inspirándonos a soñar para un mejor mañana. Podemos admirar su estilo interactivo alcanzando y tocando otros corazones.

Los I son expresivos, deseosos de que nos sintamos tal como ellos se sienten y riamos con ellos.

El tipo Inspirador podría decir,

" ¡ Me da tantas ganas divertirme con usted! Sé que la pasaremos muy bien juntos, ¡pero por favor apúrese! En realidad no quiero tener que esperar mucho tiempo. No sé qué vamos a hacer, pero ¿ no le encantan las sorpresas? ¡A mi sí! De cualquier forma, las cosas salen tanto mejor si simplemente se las deja pasar y las deja sin estructura. ¿ Qué dice? ¿ Hay que trabajar hoy? Seguro que lo podemos hacer. Nunca quiero que nadie en la oficina se moleste conmigo. Lo haré divertido para nosotros. ¿ Podemos hablar de lo que vamos a hacer? Sino que necesito dejarle saber cómo me siento. Me aburro fácilmente cuando tengo que repetir las cosas varias veces o cuando hay que tener en cuenta muchos detalles. Hago lo mejor cuando me encuentro de humor, así que me gusta mantener mi horario abierto y flexible. Podemos comenzar pronto. ¡No quisiera desilusionarlo! ¡Espere un momento! Pues, ¡Hola! ¿Es su nombre Juan? Me alegra conocerlo... mi amigo y yo estamos hablando de ..."

Personas que usted conoce del tipo Inspirador

La investigación indica que cerca del 25-30% de la población general tiene este perfil de tipo Inspirador. Este grupo **DISC** está lleno de personas de calidad estelar en nuestro mundo. Piense en todos los comediantes, actores, conferencistas y entretenedores que hay entre nosotros. A medida que ha leído este capítulo, usted sin duda ha pensado en amigos y familiares de este estilo.

Hay una correlación natural entre el trabajo o papel y la persona que lo cumple. Como se ha imaginar, los tipos Inspiradores se hacen grandes actores, políticos, anunciadores de radio, conferencistas motivacionales y subastadores. ¡También son buenos estafadores! Son excelentes en cualquiera vocación que requiera hablar como su foco principal.

De gente con estilo Inspirador...

" La muerte es como la naturaleza dice,' Está lista su mesa"
— ROBIN WILLIAMS

" Mi logro más genial fue mi capacidad de persuadir a mi esposa a que se casara conmigo."
— WINSTON CHURCHILL

" Creo que lo hice bastante bien, considerando que comencé con nada más que un montón de papel en blanco"
— STEVE MARTIN

" Tú puedes tenerlo todo,
pero no lo puede tener todo al mismo tiempo"
— OPRAH WINFREY

" La primera ley en la publicidad es de evitar hacer promesas concretas y cultivar lo maravillosamente impreciso."
— BILL COSBY

" A veces, lo que vale la pena hacer, vale la pena hacer en exceso. "

— DAVID LETTERMAN

" Lo único que tiene Israel de gallina – es su sopa. "

— BOB HOPE

" No estamos retrocediendo – estamos avanzando en otra dirección. "

— DOUGLAS MAC ARTHUR

Hola, soy Robert Rohm. ¿Hasta ahora qué tal le parezco? Bueno... ya basta de hablar de mí. Hablemos de usted. ¿Qué tal le parezco a usted?

— ROBERT A. ROHM

El tipo Inspirador en resumen

A medida que hemos definido y descrito el tipo I alto, habrá encontrado muchas descripciones que le corresponden. Si así es, diríamos que tiene un estilo de personalidad I alto. De otra manera, puede sentir que este capítulo describe a alguien muy diferente de usted. En ese caso, diríamos que tiene un estilo de personalidad I bajo. Para un análisis individual de su estilo de personalidad, *Página de Puntage* (de Personality Insights) le permite explorar cómo el tipo Inspirador forma parte de su estilo de personalidad. (Llame a nuestras oficinas o visite nuestro sitio Web para informarse más).

Nos atraen los del tipo Inspirador porque son líderes magnéticos que hacen algo grande de la vida. Les encanta persuadir a los demás en su forma de pensar, porque quieren ser populares con todos. Podemos admirar su capacidad de animar casi cualquier situación. Esta capacidad a menudo les gana nuestra aprobación y reconocimiento. Quieren hacer que todo sea divertido y amistoso. Para este tipo, la vida es ¡una semana de seis sábados! Siempre encuentran la forma de convertir al trabajo en un juego. Viven por las palabras del comediante Joe E. Lewis: "Uno vive sólo una vez, pero si lo hace bien - ¡con una vez basta!"

¡Todos necesitamos en nuestras vidas a personas de estilo Inspirador!

Capítulo 4

El tipo Sustentador

Al tipo Sustentador **S** alto le gusta un ambiente calmado y sin complicaciones, donde la gente está cómoda, y no hay desengaños ni sorpresas. Los del tipo **S** se identifican con el color azul. El azul es el color más pacífico de todos los colores... y el color que va bien en cualquier ambiente. Son confiables y estables, entonces es fácil vivir y trabajar con ellos. Están satisfechos con una rutina previsible donde las cosas permanecen igual. Les gusta ayudar a los demás, así que se pueden adaptar si sería de ayuda a un amigo. Les toma tiempo acostumbrarse a una idea, pero cuando se les da el tiempo necesario para procesar mentalmente un cambio, se adaptan fácilmente.

Prefieren actividades rutinarias y hacer una cosa a la vez. Para algunos, la rutina puede ser aburrida pero no para ellos. Les da gran seguridad saber que las cosas están donde deben estar, para cuando alguien las necesite. Buscan ajustarse y satisfacer las necesidades del grupo ó de la familia. Tienen un gran deseo de ayudar a las personas que forman parte de su vida. Quizás más que a cualquier otro tipo, al **S** le gusta un papel de apoyo, lejos de los reflectores. Son amigables y buenos y les apenaría molestar a alguien. No les gusta el conflicto. Los hace cerrarse emocionalmente. Son reservados y orientados hacia la gente, amigos fieles de por vida. Si un **S** no se siente seguro, no expresará sus verdaderos sentimientos, pero gustosamente escucharán sobre los sentimientos de otros. Desean la armonía y evitarán a cualquier costo la confrontación. Realmente aprecian cuando uno valida su trabajo y adoran saber que le han sido de ayuda. Mantendrán su actitud relajada y cooperativa mientras continúan completando lo necesario de manera estable y persistente.

A los del tipo **S** les gusta mantener el estatus quo, así que se les dificulta comenzar un proyecto nuevo. Sin embargo su naturaleza estable y paciente los hace muy buenos para terminar un trabajo. Trabajarán a su propio paso. Como la tortuga en la fábula, continuarán hasta que terminar lo que han comenzado. Estas personas tanto comunican como desean una gran seguridad. Comunican seguridad a una amistad porque desean que su amigo sepa que siempre estarán a su lado. Son amigos leales que estarán con uno con igual firmeza en su momento de necesidad como en su mejor hora. Pueden guardar secretos sin nunca decir a nadie. Desean seguridad en sus relaciones, y quieren saber que usted estará siempre a su lado. Les gusta ser previsibles y quieren sentir que también pueden depender de usted.

Los tipos **S** son dulces. ¿Que podría no gustar de una persona Sustentadora? Son muy especiales. No son prepotentes o mandones. Es un placer simplemente estar en su presencia. Se siente como en casa. Uno está muy cómodo cuando está con ellos. Siempre toman el último asiento y dan a otros la oportunidad de ser primeros en la fila. Todos responden positivamente a ellos y a todos les caen bien. Los del tipo **S** no hacen nada deliberada para agradarle a la gente. Es simplemente su forma de ser. Así serían aún sin nadie al alrededor. De naturaleza los **S** son pasivos y tímidos. Cuando entran a una sala con mucha gente, normalmente prefieren sentarse en la parte de atrás para que nadie los note. Raramente hablan en grupo a menos que les llamen, ó que alguien necesita algo. Disfrutan de observar a sus amigos y prefieren pasar desapercibidos, especialmente si no conocen a la gente a su alrededor. No es que la gente le caiga mal – al contrario. Adoran a la gente. Es que son tímidos. Adoran divertirse y les gusta ver la emoción siempre y cuando no se enfoque en ellos. Son Sustentadores por naturaleza y tienen una presencia amistosa que les permite decir...

> *" ¡Todos para uno y uno para todos! Si todos caminamos juntos, haremos un gran equipo. ¡ Es mejor tener a todos juntos que a solo uno de nosotros! "*

Fortalezas del tipo Sustentador

Todos cuatro tipos **DISC** tienen grandes cualidades que imparten a nuestro mundo mucha riqueza y diversidad. Aunque reconocemos que cada uno de nosotros tenemos una perspectiva natural de personalidad, también reconocemos que todos tomamos decisiones a diario sobre la forma en que nos vamos a comportar. Podemos llegar a entender que con frecuencia son nuestras fortalezas, llevadas a un extremo, las que nos causan más desilusión en la vida. Esta próxima sección puede ayudar a las personas Sustentadores a reconocer las fortalezas de su comportamiento bajo control, y ver cómo los problemas ocurren cuando esas fortalezas son empujadas fuera de control.

Relajado...
puede faltarle iniciativa

Su estiló *relajado* y de trato fácil impartirá estabilidad y comodidad a todos los que los rodean. No les gusta ser presionados y cuando se les pide una opinión pueden ser indecisos. Pueden dar dos ó tres respuestas, porque no quieren causar discordia. Tratan de dar la respuesta que creen que uno quiere escuchar. Cuando les preguntan, "¿Qué desea hacer esta noche?", han de contestar, "No importa -lo que usted diga estará bien conmigo." Al titubear, puede *faltarles iniciativa* y dejan pasar buenas oportunidades. Deben aprender que son muy especiales, y disfrutaríamos más con ellos si cobran la confianza para expresar abiertamente su propia perspectiva e ideas.

Confiable...
puede volverse dependiente

Puede *confiar* en su amigo sustentador, porque a él le importa mucho las necesidades que tiene usted. Son prácticos y hacen lo que ha dado resultado en el pasado, entonces no saldrá ningún resultado de ellos. Ya que necesitan la afirmación y lo imprevisible del cambio les es difícil, pueden llegar a *depender* de otra persona para que les abra el camino a una nueva situación. Se detienen y esperan. Prefieren no hacer nada, aún si esto los hace fracasar. A veces parecen darse por vencidos antes de comenzar; sin embargo, si piensan que usted los necesita, harán cualquier cosa que necesite. Es importante para el S aprender el valor del riesgo y el beneficio de ser emprendedor. Después de todo ¡el que no arriesga no gana!

Cooperativo...
puede volverse crédulo

Los S tienen la voluntad y capacidad de trabajar con la gente y hacer lo que puedan por otros. Perciben la verdad en lo que dijo Arthur Ashe, "No es el deseo de superar a los demás a cualquier costo, sino de servir a los demás a cualquier costo." Cuando los del tipo S alto le tienen afecto, son muy *cooperativos* para acudir a su ayuda dondequiera que usted los necesite. Con demasiada frecuencia, al tratar de ayudar a otro pueden sacrificar sus propias necesidades y volverse *crédulos*, dejando que otros se aprovechen de su buen carácter. Ya que piensan primero en los demás y no se les ocurre que alguien podría abusar de ellos, deben aprender a reconocer la diferencia entre ayudar a un amigo y facilitar su falta de responsabilidad.

Estable...
puede volverse en indeciso

Los del tipo S alto ofrecen estabilidad a su familia u organización, porque valoran el éxito de una rutina probada. Están cómodos con lo que permanece igual, y recordarán a la gente que se debe reflexionar antes de hacer algún cambio. No es tanto que quieren dictar todo. Es simplemente que buscan proteger su propia *estabilidad*. Los otros tipos de personalidad saben cómo cuidar de sí mismos, mientras el tipo **S** suele ayudar a otros aunque sea a su costa. Usaran un enfoque mesurado, asegurándose de que los demás no detecten que velan por sus propios intereses. Si sienten que les están presionando para actuar demasiado rápido, pueden volverse *indecisos* y luego tercos, ateniéndose en lo que les es conocido. Cuando empiezan a respetar sus propias necesidades tal como respetan las necesidades ajenas, pueden tomar control y mantener su estabilidad.

Buen oyente...
puede volverse poco comunicativo

Todo el mundo aprecia cuán *buen oyente* es un **S** alto. Los **S** pasarán muchas horas escuchando los sentimientos de otra persona, porque realmente les importa. Aún cuando nos escuchan hablar de nuestros sentimientos y necesidades, pueden volverse *poco comunicativos* sobre sus propios sentimientos. Piensan que las situaciones que viven no son tan malas como las de otra gente, entonces no hay necesidad de hablar sobre sí mismos. Pueden quedar con sus propias cargas y las del resto del mundo. Pueden aprender que parte de ser un buen oyente no es solo ofrecer compasión, sino también alentar a la persona a que haga algo positivo sobre su situación. A lo mejor la Madre Teresa de Calcuta compartió este secreto para los del tipo **S** alto cuando dijo "Las palabras piadosas pueden ser breves y fáciles de decir, pero sus ecos realmente no tienen fin."

Resuelto...
puede volverse inflexible

Una vez que se pone a un proceso o sistema en su lugar, serán fieles y leales al sistema. Pueden presentarse otras ideas o métodos, pero ellos los rechazarán, prefiriendo más bien quedarse con lo que saben funcionará. Rechazan la idea de que, "Uno nunca sabe hasta no tratar." Ellos se concentrarán *resueltamente* en completar el proceso. Pueden volverse *inflexibles* en cuanto a probar nuevas ideas ó maneras de hacer las cosas que podrían serles de mucho provecho, especialmente si les confrontan o sorprenden. Necesitan tiempo para terminar lo que han comenzado, y luego pueden ser más cooperativos.

Constante...
puede volverse resistente al cambio

Puede que usted esté listo a pasar al próximo capítulo de este libro, pero el S alto *constante* apenas se está acomodando y apreciará las próximas ideas que ¡usted puede pasar por alto! En todo lo que hacen, serán constantes en el uso de métodos de eficacia probada. Aunque los tiempos cambien, ellos suelen *resistir al cambio* que debe primero ocurrir para su propio crecimiento personal y profesional. Aunque les sea incómodo, pueden aprender a aceptar los cambios, y cuando lo hacen, ¡harán que el cambio sea útil y de ayuda para todos!

Suave de corazón...
puede ser fácilmente manipulado

En un mundo frío, el S *compasivo* puede traer la ternura y atención que otros realmente aprecian. El tipo S alto también es sentimental. Los S saben lo que les gusta, y les gusta lo que es lo viejo y conocido. Tienen películas favoritas, recuerdos y ambientes favoritos. Cuando aparece una ocasión especial, pasan tiempo apreciando las memorias del pasado y hablando de los buenos tiempos que pasaron juntos. Les molesta cuando los lugares de su niñez cambian. Prefieren que las cosas se mantengan como han sido siempre.

Guardan sus anuarios, notas románticas y poemas viejos. Desafortunadamente, debido a su naturaleza sentimental y bondadosa pueden ser *manipulados fácilmente* para servir las intenciones egoístas de otros. Fácilmente pueden sentir lástima por alguien y sentirse obligados a ayudarlos. El tipo Sustentador puede aprender a elegir **NO** rescatar a otra persona. Encontrarán que a veces es mejor que la otra persona sienta los efectos de sus errores para así motivarse a aprender de esos errores. A los **S** altos esto puede parecer duro, pero a menudo este tipo de lección puede salvar a alguien de errores más dolorosos.

Sistemático...
puede volverse lento

El **S** alto hará documentación y tareas repetitivas de la misma forma una y otra vez. Los **S** estarían de acuerdo con Abraham Lincoln cuando dijo, "No se pierde nada de valor se toma el tiempo." Mientras el ser *sistemáticos* asegura que tengan resultados previsibles, los demás pueden frustrase cuando se preocupan tanto los **S** por seguir el sistema que se ponen *muy lentos* para completar las cosas. A veces también es de importancia la velocidad y el tipo Sustentador puede aprender a apreciar esta verdad. ¡Es posible que deban aprender a pedir ayuda para sí mismos!

Amigable...
puede volverse resentido

El tipo Sustentador lo recibirá con una sonrisa suave y un *saludo amable*. La Madre Teresa habló por los **S** cuando dijo, "Asegurémonos de saludarnos con una sonrisa, cuando es difícil sonreír. Sonría, hagan tiempo para cada uno en su familia." Para los del tipo **S** alto es fácil acercarse a uno y parecer satisfechos de simplemente estar con esa persona. Si alguien necesita de ayuda, lo ayudarán con gusto. A veces los **S** altos ofrecen ayuda cuando no lo deberían hacer, ya sea porque la persona se está aprovechando de ellos y realmente no aprecia lo que hacen por ellos, o porque están haciendo caso omiso a su propia necesidad esencial. Aún si siguen ayudando, por dentro pueden volverse *resentidos* y guardar rencores contra la otra persona. El rencor mata una relación que quizás hubiese podido continuar creciendo.

El Sutentador **S** debería recordar su TIP secreto:

 No tenga miedo de decir, " ¿ Qué parte de NO es la que no entiende?

Actitudes y preferencias del tipo Sustentador

¡El signo de más o menos representa lo adaptable de este estilo! Se adaptan porque creen que lo que usted quiere está básicamente bien con ellos. Son dulces y Sustentadores y quieren hacer lo que puedan por cumplir las necesidades de su familia y amistades. Podemos admirar su corazón servicial y estilo colaborador. Los **S** son amables. Quieren asegurarse de que todos estén cómodos y relajados.

El tipo Sustentador podría decir,

" *El trabajo en equipo y la cooperación son importantes para todos nosotros. Cuando trabajamos juntos, cada uno hace un mejor trabajo. Me gusta mantenerme en lo que sé que funciona mejor, y me sentiré cómodo ayudándolo con esas tareas repetitivas que nadie más quiere hacer. De verdad no me importa. Si podemos encontrar un proceso para usar, nos podremos sentir seguros en nuestro trabajo.*

Una rutina diaria parece funcionar mejor, así sabremos que esperar. Podremos hacer una cosa a la vez, y podemos ayudarnos mutuamente. ¿Estaría esto bien para usted? ¿Cómo le gustaría hacerlo? Esto podría ser un buen plan, porque es más fácil para todos y eliminaría algunos riesgos y problemas. Podemos trabajar mejor si evitamos conflicto, el cual debo admitir que me pone incómodo. Y por favor no se sorprenda si me estoy callado cuando estamos en un grupo grande. Me gusta estar con usted, pero preferiría dejarlo que hable en nombre de los dos cuando hay muchas personas escuchando. Puedo ajustarme a las necesidades de nuestro grupo y puedo ayudar a mantener armonía, así que déjeme saber que quiere que yó haga. Si necesitamos solucionar problemas complejos, quizás debemos ayudarnos mutuamente y hacerlo juntos. A lo mejor hasta encontramos a alguien que nos ayude con su análisis crítico. ¿Estaría esto bien para usted?"

Personas que conoce del tipo Sustentador

La investigación indica que cerca del 30 -35 % de la población general tiene el perfil del tipo Sustentador. Este es el más grande de los grupos del modelo **DISC**. Apreciamos a estas personas buenas y estables en nuestras vidas. A medida ha leído este capítulo, sin duda ha pensado en amigos y familiares de este estilo.

Hay una correlación natural entre el trabajo o papel y la persona que lo cumple. Como se ha imaginar, los tipos Sustentadores llegan a ser excelentes diplomáticos, profesores, enfermeras, directores de recursos humanos, consejeros y asesores. ¡Pueden llegar a ser vicepresidentes capaces! Cumplen un papel de apoyo en su equipo. Los **S** con frecuencia trabajan fuera de su área de responsabilidad para permitir a los demás miembros del equipo hacer su mejor trabajo.

En un estilo Sustentador...

" Hoy en día todos parecen estar de prisa, ansiosos por desarrollos más grandes y riquezas más grandes y todo eso, así que los niños pasan muy poco tiempo con sus padres. Los padres pasan muy poco tiempo entre sí; y en el hogar comienza el deterioro de la paz del mundo"

— MADRE TERESA DE CALCUTTA

" Lo mejor acerca del futuro es que llega solamente un día a la vez." "

— ABRAHAM LINCOLN

" Nos tendremos que arrepentir en esta generación no sólo por las palabras de odio y acciones de las personas malas sino también por el silencio atroz de las personas buenas."

— MARTIN LUTHER KTNG, Jr.

" Celebre sus conexiones humanas; sus relaciones con amigos y familia. "

— BARBARA BUSH

" Uno puede hacer lo que tiene que hacer, y a veces puede hacerlo aún mejor de lo que cree que puede"

— JIMMY CARTER

" Me voy a casar con una mujer judía, porque me gusta la idea de levantarme los domingos por la mañana e ir al restaurante tipo deli."

— MICHAEL J. FOX

" Primero dice que aquel está en lo cierto. Luego dice que ese de allá está en lo cierto. No es posible que los dos estén en lo cierto."
    -" Sabe algo mi amigo... ¡usted también está en lo cierto!"

— TERYA, VOLINISTA EN EL TEJADO

El tipo Sustentador en resumen

A medida que hemos definido y descrito el tipo **S** alto, habrá encontrado muchas descripciones que le corresponden. Si así es, diríamos que tiene un estilo de personalidad **S alto**. De otra manera, puede sentir que este capítulo describe a alguien muy diferente de usted. En ese caso, diríamos que tiene un estilo de personalidad **S bajo**. Para un análisis individual de su estilo de personalidad, la *Página de Puntage* (de Personality Insights) le permite explorar cómo el tipo Sustentador forma parte de su estilo de personalidad. (Llame a nuestras oficinas o visite nuestro sitio Web para informarse más).

Nos atraen los del tipo Sustentador, porque son líderes serviciales que caminan a nuestro lado. Pacientes y persistentes, guían y aconsejan con delicadeza, mientras hacen lo que pueden por hacer que la vida tenga menos complicaciones para todos nosotros. Son de servicio fiel, su ejemplo de estilo estable y leal ayuda a la gente a ser más tolerantes hacia los demás. Con frecuencia son la calma en medio de la tormenta, ofreciendo en una crisis una respuesta pacífica y racional. Esta respuesta restaura el ambiente que es cómodo para el **S** alto - un ambiente armonioso, previsible y estable. Aunque quizás nunca le digan directamente, necesitan que usted les reconozca su ayuda y confirme el lugar especial que ocupan en su corazón. Su prioridad básica es lo previsible. Mantienen un ritmo constante y buscan proveer seguridad para su familia primero. Los del tipo **S alto**, cuando están en control son personas que cuidan y enseñan que nos respaldan en momento difíciles, ayudándonos a crecer y a ser lo mejor que podamos ser.

¡Todos necesitamos en nuestras vidas a personas Sustentadores!

?

Capítulo 5

El tipo Cauteloso

Quienquiera que haya dicho, "Mida dos veces...y ¡corte sólo una!" ¡debe haber sido un tipo cauteloso **C** alto! Para el tipo **C**, la exploración detenida de todas las opciones y estudio de toda la información relacionada es de sumo valor. Los **C** validarán la calidad de la información y luego elaborarán procedimientos en base a sus datos para no cometer errores. Se identifican con el color amarillo porque, como la luz amarilla de semáforo, la Cautela describe su enfoque a todo lo que hacen. El amarillo también nos hace pensar en la *energía radiante* del sol, y los tipos Cautelosos parecen irradiar ese tipo de intensidad.

Las personas tipo **C** alto son calculadores e inquisitivos en su manera de investigar, categorizar, y organizar la información. El **C** alto con frecuencia se considera como de "compartimentos" porque a los **C** les gusta tomar todo y ponerlo en casillas. ¡Luego ponen todas sus casillas en filas! Para el tipo Cauteloso, todo tiene su lugar y todo debe estar en su lugar. Los **C** necesitan entender su propio espacio. Quieren saber cómo son relevantes a cualquier situación. Se preocupan por usar la etiqueta apropiada, así que son muy educados con los demás y esperan que los demás también les traten con educación. Quieren obedecer las reglas del juego y esperan que los demás también lo hagan.

Abraham Lincoln una vez dijo, "El tacto es la capacidad de describir a los demás como ellos mismos se ven." Esta es la definición del tacto para el **C** alto, reservado y orientado hacia las tareas, que por naturaleza es muy diplomático. Puede separarse de sus propios sentimientos y reconocer la perspectiva de otra persona. A veces su naturaleza reservada y de tacto les priva de expresar sus verdaderos sentimientos. Ellos tienden a concentrarse, más bien, en los hechos relevantes de una situación. Dado su enfoque analítico, a menudo pueden reconocer verdades subyacentes con respecto a las personas y las situaciones. Sin embargo, es posible que no estén conscientes de sus propios sentimientos acerca de esas mismas personas y situaciones. Quizás más que cualquier otro tipo, es difícil para los **C** altos validar sus propios sentimientos y reconocer la intensidad de esos sentimientos. Cuando hacen caso omiso a sus sentimientos por largo tiempo, pueden volverse taciturnos y temperamentales cuando el impacto total de sus sentimientos les da en la cara. ¡Por fin no tienen más que responder a sus emociones!

La atención detenida a los detalles y obediencia rigurosa de las reglas hacen que los **C** altos sean Concienzudos y meticulosos en el trabajo detallado que les gusta. Les encantan los organigramas, el orden y la organización. Ya que aprecian mucho el análisis de los hechos de cualquier cosa, son minuciosos en sus evaluaciones y resistirán tomar una decisión rápidamente. En broma digo que ¡ellos revisan hasta las fotocopias! Dado que necesitan validar la información con los expertos, les es difícil tomar decisiones por intuición, sin suficientes datos. Esto significa que un **C** alto dará un buen análisis objetivo de una situación. Sin embargo, ya que no son personas orientados hacia la gente, por lo general dicho análisis no tomará en cuenta los sentimientos de las personas implicadas en a situación. Creen que la gente debe actuar en base a los hechos y no sus propios sentimientos irracionales.

Otros tipos de personalidad pueden explorar verbalmente, pero no así el tipo **C** alto. El tipo Cauteloso es pensativo y reflexiona sobre las cosas antes de actuar. ¡*Saben* que *saben* lo que *saben*! Hacen su tarea. Investigan, recopilan datos, elaboran un plan de acción y luego lo siguen. No ofrecen su opinión sobre ningún tema hasta no desarrollar bien su punto de vista. Ellos enseñarían, "Planee su trabajo... y entonces ¡trabaje según su plan!" Este es un secreto para entender a los de tipo **C** alto.

El **C** alto es un pensador teórico que adora poner en duda y validar los datos. Sus habilidades cognitivas le permiten ver una idea mejor y haría cualquier cosa para lograr la excelencia. Espere que un tipo Cauteloso sea preciso y riguroso, buscando respuestas precisas y esperando recibir información de calidad. ¡Para ellos, ejemplos de trabajo de muy mala calidad serían el dar un vagamente un estimado, redondear los números, y basarse en lo visceral o institivo! Es tanto su bendición como su maldición tener expectativas perfeccionistas. Para ellos, es simplemente que se supone que uno hará su mejor, y su mejor esfuerzo debe ser tan perfecto como lo pueda hacer y un poquito mejor. Es por esto que el tipo Cauteloso dice,

> " Cualquier cosa que vale la pena hacer, vale la pena hacer correctamente. Uno debe proveer productos y servicios de calidad a través de un trabajo cuidadoso y concienzudo. "

Las fortalezas del tipo Cauteloso

Todos cuatro tipos **DISC** tienen grandes cualidades que imparten a nuestro mundo mucha riqueza y diversidad. Aunque reconocemos que cada uno de nosotros tenemos una perspectiva natural de personalidad, también reconocemos que todos tomamos decisiones a diario sobre la forma en que nos vamos a comportar. Podemos llegar a entender que con frecuencia son nuestras fortalezas, llevadas a un extremo, las que nos causan más desilusión en la vida. Esta próxima sección puede ayudar a las personas Cauteloso a reconocer las fortalezas de su comportamiento bajo control, y ver cómo los problemas ocurren cuando esas fortalezas son empujadas fuera de control.

Ordenado...
puede volverse compulsivo

En el libro infantil *Alicia en el País de las Maravillas*, el Rey explica a Alicia cómo ser ordenada tal como nuestros amigos de tipo **C** alto:

" ¿ Por dónde debo empezar, con el permiso de Su Majestad?" preguntó. " Empieza por el principio," dijo el Rey gravemente, " y sigue hasta llegar al final; allí te paras. "

Para el **C** alto ¡es así de simple! Los **C** son formales y *ordenados*. Se concentran en la tarea del momento. Pueden seguir encarrilados en un proyecto mucho después de que los demás se hayan dado por vencidos. Les gusta armar rompecabezas o resolver crucigramas, porque les encanta ver que las cosas se vayan colocando, paso a paso, en su lugar. Tienen poco tiempo que gastar en tonterías. Para ellos, la mayoría de la vida es cosa seria. Al igual que en, Dragnet*, el programa de televisión de los años 50, quieren lo mismo que pedía el sargento Friday:

" *Sólo los hechos, Señora - ¡sólo los hechos!* "

A medida que aumenta su concentración intensa, pueden preocuparse tanto por cada detalle que se vuelven *compulsivos* por pequeñeces que no tienen importancia. Esto frustra a la gente que trabaja con ellos y puede hacerles dejar de tratar de satisfacer las altas expectativas de los **C** altos. Los **C** cautelosos deben aprender la diferencia entre buscar la excelencia y esperar la perfección, tanto de ellos mismos como de sus compañeros de trabajo.

Lógico...
puede volverse en crítico

Para el **C**, tiene que poder ver la *lógica* en todo. El **C** alto suelen hacer caso omiso a sus sentimientos a favor de hechos lógicos. Considerará detenida y completamente cada parte de un procedimiento y cada dato recopilado. En su búsqueda eterna de la perfección, los demás pueden sentir que es simplemente crítico de todo y de todos. Cuando están fuera de control, su *naturaleza crítica* puede distanciar a las personas. Quizás puedan aprender de Michael J. Fox quien dijo, "Tengo cuidado de no confundir la excelencia con la perfección. La excelencia la puedo alcanzar, la perfección es cuestión de Dios."

* Programa americano de detectives,

Intenso...
puede volverse insociable

Cuando se concentran, no hay nada que los aparte de lo que están haciendo. El mundo puede caerse sobre ellos y sólo verán el punto central. Una vez conocí a una **C** alto cuya familia le decía de broma, "La casa puede quemarse hasta el suelo, y ¡tú seguramente seguirás sentada en el sofá leyendo tu libro!" Ella admitió que ¡quizás era la verdad! Con este tipo de *intensidad*, pueden volverse insociables, concentrándose en su tarea hasta el punto de excluir a otras personas. Miguel Ángel era un dotado artista **C** alto que dijo, "Mientras uno está solo, uno es completamente su propio dueño y señor, y si tiene un compañero, no es más que la mitad su propio señor, y hasta menos, en proporción a la imprudencia del comportamiento de su compañero." ¿Le suena esto un tanto *insociable*? Y aún así, su intensidad creó las pinturas magníficas de la Capilla Sixtina, que hasta el día de hoy valoramos, unos quinientos años después. ¡Esperamos que Miguel Ángel también haya tomado tiempo para relajarse y socializar con sus amigos!

Curioso...
puede volverse entrometido

La *curiosidad* del **C** alto es insaciable. El **C** alto parece interesarse por conocer más acerca de todo. Usualmente tiene sólo una pregunta más que necesita una respuesta antes de poder llegar a una conclusión. También recopila datos acerca de las personas. Este deseo por tener datos le hace *entrometerse* a la vida personal de otros. El **C** alto puede hacer caso omiso a sus propios sentimientos, pero si desea gozar de amistades con otras personas, debe aprender a respetar los sentimientos de otros.

Enseñable..
puede ofenderse fácilmente

Su búsqueda de conocimiento y respuestas de calidad hace que los **C** sean muy *enseñables*. Siempre quieren aprender acerca de la tecnología nueva, y les interesa la elaboración de procedimientos en sus negocios. Les encanta discutir teorías y conceptos. Si el enfoque de la otra persona discrepa con lo correcto de la forma en que ya han venido haciendo algo, pueden *ofenderse fácilmente* y estar a la defensiva contra cualquier sugerencia. Ya que son meticulosos y Cautelosos, odian que les digan que están equivocados. Hay que convencerles de que su manera anterior de hacerlo estaba correcta, pero que la manera nueva es mejor.

Cauteloso...
puede volverse temeroso

Los **C** altos son muy *cautelosos* sobre la toma de riesgos. Nunca quieren equivocarse. Los tipos **C** son leales a las ideas y los principios. Cuando el tipo Cauteloso se encuentra en un territorio desconocido, se siente amenazado e incierto. Su primera lealtad es a las ideas o principios y luego a las personas involucradas en la situación. Podemos decir que son leales siempre y cuando conozcan todos los detalles del plan. Pero cuando los detalles empiezan a desintegrarse, se desintegra su lealtad. Siempre se están autoevaluando y pueden llegar a ser tan *temerosos* de romper las reglas o hacer algo mal que pueden inmovilizarse hasta el punto de inactividad. Podemos apreciar su habilidad cautelosa de prever y prevenir muchos errores costosos. Así mismo, les podemos alentar a reconocer por qué el riesgo de errar es, a menudo, menos importante que el fracaso que puede resultar de no hacer nada.

Correcto...
puede volverse rígido

El **C** alto diría, "¡Hágalo bien, o no lo haga!" Los **C** altos quieren siempre *acertar*, por eso siguen las reglas y procedimientos cuidadosamente, y son muy constantes. Uno puede poner su reloj según lo que hacen. Por lo usual, puede depender de lo que le digan, porque ya han verificado la información antes de compartirla con usted. Muy rara vez se equivocan en los detalles de una historia. Cuando están convencidos de estar en lo cierto con respecto a un detalle o concepto, no se les puede cambiar de parecer. Su necesidad intensa de seguir el protocolo y su evaluación exhaustiva de los datos puede convertirles en muy *rígidos*. No dan lugar a las emociones o limitaciones humanas. Uno puede creer que los podrá persuadir a cambiar sus conclusiones, pero casi nunca es el caso una vez que han evaluados todos los datos. Recuerde este proverbio: "Aquél que es convencido contra su propia voluntad todavía se mantiene en la misma opinión." Esto realmente se aplica al tipo **C**. Aunque es difícil para un **C** alto reconocer, a veces es más importante preservar una buena relación importante que probar que estamos en lo cierto.

Investigador...
puede volverse dudoso

El **C** alto está siempre *investigando*. Los **C** altos hacen las preguntas que hay que hacer y las que se olvidaron los demás. Los **C** altos son tan idealistas. Quieren ser los mejores, buscar lo mejor y producir lo mejor. Les gusta que las cosas encajen en un paquete bonito y ordenado. No les gusta que queden en sus vidas cosas sin ligar o asuntos sin concluir. A los **C** no les gusta que algo se termine de manera abrupta o inesperada. Tratan de poner un fin a todas sus experiencias y se frustran con las cosas de la vida que no tienen explicación. Si algo depende mucho de las emociones o realmente no tiene ninguna respuesta clara e indisputable, pueden volverse *dudosos* de todo y todos, y perder su centro. Deben hallar una perspectiva de su mundo que es más grande que ellos, y desde esa perspectiva, establecer para sí mismos la verdad.

Consciente...
puede volverse preocupado

Los **C** alto cubrirán cada detalle de su trabajo *concienzudamente*. Los del tipo **C** se autosacrifican y se comprometen a producir trabajo de calidad. Tienen la habilidad envidiable de no distraerse de la tarea que tienen a la mano y trabajarán incansablemente para hacer un buen trabajo. Constantemente buscan maneras de mejorar la situación. Anhelan la excelencia y buscan la perfección, aunque signifique largas y arduas horas de trabajo. Se terminará, copiará y archivará cada documento. En la medida se amplía su cargo y responsabilidades, tendrán la tendencia a *preocuparse* sobre todos los detalles que deberán tratarse correctamente. Quizás puedan aprender de este sabio refrán:

> *Recuerde que tras el perfeccionismo siempre se esconde el temor. El confrontar sus temores y permitirse ser humano puede, paradójicamente, hacerle una persona más productiva y feliz.*

Preciso...
puede volverse quisquilloso

Normalmente, todos los números y datos *precisos* que da el **C** alto serán correctos. Puede confiar en que están en lo cierto acerca de los hechos. Reconocen la importancia de un análisis factual de la situación. A veces, los detalles exigentes de una situación son de menor consecuencia que los sentimientos de las personas afectadas o la relación que gozan esas personas. Los **C** controlan sus emociones estrictamente y esperan que los demás hagan lo mismo. Pueden ser *selectivos* acerca de ciertos elementos y la forma en que éstos se definen y expresan, descartando a la vez las emociones y limitaciones individuales. Es posible que deban mostrar a los demás por qué sienten la necesidad de ser tan precisos, de otra manera se les puede percibir como criticones.

Deben aprender la verdad de su TIP secreto:

 Las personas no VALORAN lo que usted sabe, hasta no SABER cuánto valor tienen para usted.

Actitudes y preferencias del tipo Cauteloso

¡El símbolo de interrogación representa lo importante que es para este estilo la investigación! Analizan y exigen, buscando la mejor calidad en todo. Podemos admirar su mente precisa e inquisitiva. Los **C** son Concienzudos – intensos, en su búsqueda de la certeza y verdad.

El tipo Cauteloso podría decir,

" *Me gusta el trabajo que requiere de investigación y análisis crítico. Necesito tiempo para validar mi trabajo. A fin de hacer mi mejor trabajo, debo evitar tomar decisiones rápidas, y evitaré también las actividades espontáneas o no planeadas. Aunque otros pueden disfrutar de las sorpresas, a mí realmente no me gustan. Prefiero hacer planes y seguirlos. Esto elimina muchos errores. Es importante para mí entender esto, porque en verdad no me gusta sentirme forzado a dar cabida a las imperfecciones. Quiero que mi papel esté claramente definido, para que pueda trabajar dentro de la estructura establecida. Espero mucho de mí mismo, y espero que usted tenga la misma actitud en cuanto a su trabajo.*

Cuando trabajamos en el mismo proyecto, doy por sentado que vamos a producir resultados de calidad. Espero que entienda que esto es muy importante para mí, porque no me gusta comprometer mis principios en el ánimo de mantener armonía. Usted me gusta; y ¡ me gusta lo suficiente como para esperar lo mejor de usted! Realmente no me gusta confrontar a los demás, pero si es cuestión de calidad o precisión, debo decir lo que pienso. Debemos hacer las cosas de la forma correcta y producir algo verdaderamente excelente."

Personas que conoce del tipo Cauteloso

La investigación indica que entre el 20 -25% de la población general tiene el perfil de estilo Cauteloso. Esto significa que hay más del tipo **C** que **D** pero menos que nuestras tipos **I** y **S** orientadas hacia la gente. Apreciamos las cualidades de los **C**. Reconocemos el trabajo de calidad de los **C altos** que conocemos. A medida que ha leído este capítulo sin duda ha pensado en amigos y familiares de este estilo.

Hay una correlación natural entre un cargo o papel y la persona lo desempeña. Como se ha de imaginar, los tipos Cautelosos llegan a ser buenos profesionales, porque les va muy bien en cuanto ganan pericia en un campo específico. Normalmente son excelentes maestros o profesores porque les encanta aprender. Los **C** también pueden ser muy buenos inventores, investigadores y científicos, Tienen la capacidad de realizar cientos de experimentos sin renunciar su búsqueda de una solución. Una vez le preguntaron a Thomas Edison si alguna vez se sintió desalentado en su trabajo de inventar el bombillo de luz incandescente. (Había tratado más de 2,000 experimentos antes de hacer progresos verdaderos.) Contestó, "¡En absoluto, porque aprendí 2,000 formas que por seguro no funcionaría!" ¡Que frase tan fantástica de estilo Cauteloso!

Los **C** son excelentes músicos. La música permite a los **C** altos expresar su sentimientos y su sensibilidad estética dentro de una estructura de reglas. Tienen la autodisciplina necesaria para practicar a diario y tocar precisamente las notas correctas. Asimismo, en una variedad de diversos campos de trabajo son buenos artistas. Tienen un deseo intenso de crear algo que mejorará nuestra calidad de vida. Quieren hacer de su mundo un mejor lugar. Al fin de cuentas... ¡ellos tienen una idea mejor!

Los **C** pueden ser muy buenos filósofos. Buscan soluciones a largo plazo en vez de respuestas fáciles. Quieren entender por qué nuestro mundo funciona de cierta manera. Su naturaleza analítica dota a sus mentes teóricas del poder de razonamiento que necesitan para conectar las ideas y luego volverlas a separar.

En un estilo cauteloso

" El escrutinio escéptico es el medio, tanto en las ciencias como en la religión, por el cual uno puede discernir el entendimiento profundo entre los profundos sinsentidos. "

—CARL SAGAN, Astrónomo

" Francamente Capitán, eso no parece lógico. "

— SPOCK, De la serie Star Trek

" La gente no debe hacer algo por ser divertido. No estamos aquí para la diversión. No hay referencias en ningún Acta de Parlamento a la diversión. "

— A.P. HERBERT, autor y político, 1890-1971

" A menudo uno debe depender de la intuición. "

— BILL GATES

" Si hacemos lo que es necesario, tenemos todo a nuestro favor. "

— HENRY KISSINGER

" Deje que el sabio escuche y aumente su
aprendizaje...
y deje que el inteligente adquiera consejo. "

— SALOMON, PROVEBIOS 1. 5

" No puede esperar crear un mundo mejor
sin mejorar a las personas. Para eso, cada uno de
nosotras debe trabajar por su propio mejoramiento y,
a la vez, compartir una responsabilidad general para
toda la humanidad. Nuestra obligación específica es
de ayudar a aquellos a quienes pensamos poder ser
de mayor uso. "

— MARIE CURIE

" Todo está sucediendo con demasiada rapidez.
Tengo que poner los frenos, o me estrellaré contra
algo. "

— MEL GIBSON

" Al que rechaza el consejo, no se le puede ayudar.
Si uno no pone atención a la razón, ella te dará una
reprimenda. "

— BENJAMIN FRANKLIN

" El hecho de que algo no hace lo que uno planeaba
que hiciera, no significa que no tenga uso "

—THOMAS EDISON

" Hay una gran diferencia entre el buen razonamiento
sólido...
y el razonamiento que sólo parece bueno. "

— DR. NORMAN GEISLER

El tipo Cauteloso en resumen

A medida que hemos definido y descrito el tipo **C** alto, habrá encontrado muchas descripciones que le corresponden. Si así es, diríamos que tiene un estilo de personalidad **C alto**. De otra manera, puede sentir que este capítulo describe a alguien muy diferente de usted. En ese caso, diríamos que tiene un estilo de personalidad **C bajo**. Para un análisis individual de su estilo de personalidad, la *Página de Puntage* (de Personality Insights) le permite explorar cómo el tipo Cauteloso forma parte de su estilo de personalidad. (Llame a nuestras oficinas o visite nuestro sitio Web para informarse más).

Nos atraen los del tipo Cauteloso, porque son lideres Concienzudos que lideran a base de principios fundamentales, y esperan lo mejor de cada uno. Cuidadosos y meditabundos, ven problemas que los demás estilos no ven. El **C alto** busca un ambiente con estructura con el fin de mantener el nivel de productividad alto. Su deseo intenso de la perfección ilumina el camino hacia las respuestas de calidad, valor y excelencia que necesitan. Brillan más en una profesión o especialidad que aprovecha su precisión y meticulosa capacidad. Su prioridad subyacente es el procedimiento correcto, trabajo dentro de un marco que establecerá nuevos niveles de excelencia. Los **C alto**, cuando están bajo control, son teóricos y exigentes. Pueden tallar los cimientos de una filosofía o de datos, y construirán sobre esta base para alcanzar nuevas alturas de excelencia creativa.

¡Todos necesitamos en nuestras vidas a personas Cautelosas!

Capítulo 6

¿Qué es su CP?

Su cociente de personalidad

A temprana edad, recordamos estar en la escuela y escuchar hablar de algo llamado el CI. No sabíamos lo que era, pero sabíamos que era importante. Tanto los padres como los maestros ponen gran énfasis en su CI. Algunas personas hasta fueron asignadas a ciertos grupos en la escuela, en base a su CI.

Como niños, no sabíamos cómo se obtenía un CI, ni qué hacer para mejorarlo, pero llegamos a entender que "el ser inteligente" jugaba un papel importante en la vida de colegio. Como adultos, todo esto tiene más sentido. Su CI es importante. Entendemos ahora que el CI, el *cociente de inteligencia*, mide lo rápido que uno aprende, pero no cuánto puede aprender. También sabemos que el CI alto no garantiza en sí el éxito, ni en la vida ni en las relaciones.

Se han escrito varios artículos y libros excelentes acera de otros ingredientes claves al éxito en la vida. ¿Ha oído hablar del CE? Este es su *cociente emocional.* Es su capacidad de generar, entender y regular las emociones. La investigación científica muestra que las diferentes partes del celebro tienen diferentes propósitos, y que las repuestas emocionales provienen de áreas específicas del cerebro. La información es bastante técnica y muestra que la inteligencia emocional es distinta a las otras clases de inteligencia. Normalmente, lo llamamos *intuición*, *instinto*, o visceral. El CE es la base de criterio cuando escogemos algo basado en la sensación de que nos gusta y pensamos que simplemente se siente bien. Como bien puede imaginarse, su CE puede estar relacionado con su estilo de personalidad, porque muestra su sensibilidad a sus propios sentimientos y las emociones de las demás personas. Los estudios muestran que su CE es un factor importante para su éxito en la vida.

Y en cuanto su CA, su *cociente de adversidad*, éste mide su capacidad de responder efectivamente ante la adversidad. Esto se relaciona también con su estilo de personalidad. Los factores que influyen su CA son el control, propiedad, efecto y resistencia. El primer factor es el control. Es importante tomar control de las diferentes áreas sobre las cuales tiene control. Por otro lado, puede gastar una gran cantidad de energía emocional preocupándose por las áreas sobre las que tenemos poco o ningún control. Pueden pronosticarse estas tendencias mediante un entendimiento de su estilo de personalidad.

El segundo factor en su Cociente de Adversidad es la propiedad. Esta es su capacidad de asumir responsabilidad por la parte que usted pueda jugar en un problema y su solución. Cuando se responsabiliza por su parte, y a la vez deja con los demás su propia responsabilidad, le permite gastar su energía elaborando una buena solución de su parte. Si se responsabiliza por las partes del problema que no son suyas, se frustrará mucho por las limitaciones de lo que puede hacer, y puede dejar de atender a su propia parte. Dicho de manera simple, usted no puede controlar a los demás, pero sí puede controlarse a sí mismo.

El tercer factor en su CA es de limitar a áreas adecuadas de su vida los efectos de una crisis. Esto evitará que haga del problema algo más grande de lo que es. Esto implica un entendimiento de su propio estilo de personalidad y el mantenerse bajo control. Cada tipo **DISC** tiene un reto distinto en esta área.

La última área es la resistencia. Su resistencia debe ser más fuerte que el problema. Cada tipo **DISC** tiene características que ayudan o interfieren con su resistencia. Los estilos **D** y **S** usualmente resistirán – los **D** por su tenaz voluntad de triunfar y los **S** por su tenacidad bajo presión. Los **I** resisten a través de su optimismo y la fortaleza del ánimo que les dan los demás. Los **C** resisten porque ¡desde un principio previeron la adversidad y esperaban tratar con eso de antemano! La manera en que abordamos la adversidad que todos enfrentamos en la vida es vital para su éxito.

La toma de consciencia sobre sus tendencias naturales es el primer paso hacia usarlas. Algunas de están tendencias son de utilidad para su éxito, y algunas se convierten en obstáculos que impiden el éxito. En la medida que se entiende más a sí mismo, ¡se habilita para mejorar!

Lo más natural de toda la vida es ver las cosas desde su propia perspectiva. Pero, lo más sobrenatural que usted puede aprender a hacer es ver las cosas desde la perspectiva ajena.

Permítanos presentarle lo que creemos es, quizás, el más importante cociente en su vida. Su **CP**, ó **Cociente de Personalidad,** es su habilidad de entenderse a sí mismo y a los demás para una comunicación y un trabajo en equipo efectivo.

Todos deseamos la satisfacción personal que viene de un sentir de seguridad y de conocer nuestro propio significado en la vida. A medida que usted lee sobre los tipos **DISC** de personalidad, quizás ha empezado a reconocer que la satisfacción personal tiene diferente aspecto para un tipo Inspirador que para un tipo Cauteloso. A medida crece su conciencia de su perspectiva única, crece su capacidad de elegir lo que es correcto para usted. A medida toma esas decisiones, se siente más seguro y, por tanto, más exitoso.

También sucede otra cosa. Usted empieza a estar más consciente de los que le rodean. ¿En quién más pensó mientras exploraba los tipos **DISC**? Quizás pensó en su cónyuge, sus padres, hijos o amigos. Al menos que viva sólo en una isla, tendrá contacto con otras personas - miembros de la familia, compañeros de trabajo, familia de la iglesia, amistades, vecinos y profesionales o socios de negocios. Mientras más conciencia toma de sus estilos de personalidad, mejor los podrá comenzar a entender. Puede empezar a ver que tiene un papel importante en sus vidas, y ellos también son de importancia para usted.

Esta consciencia de sí mismo, y luego de los demás, son las primeras dos partes de su **CP**. Su éxito en la vida dependerá, de gran manera, en su **CP** porque su autoconsciencia y conciencia la de los demás le imparte la capacidad de relacionarse con otros de manera efectiva. Si sólo entiende la vida desde su propia perspectiva, que es la forma más natural de ver las cosas, a menudo no logrará comunicarse y trabajar efectivamente con otros. Debemos aprender a ver las cosas desde la perspectiva de otra personalidad. Esto comienza con una verdadera consciencia de nuestro propio comportamiento y perspectiva natural. De esta forma, podemos ver que hay muchos lados de la historia y varios aspectos en cada situación. Podemos ver que, en verdad, ¡hay un panorama más grande que el propio!

Los cuatro pasos

Hemos tomado estos principios de conciencia y entendimiento, y los hemos simplificado en cuatro pasos. Estos pasos lo habilita para concientizarse y explorar las claves para aumentar su **Cociente de Personalidad**. Ahora, podrá responder a la pregunta, "¿Qué es su Cociente de Personalidad?"

Paso Uno del CP

Mientras ha leído los capítulos anteriores, ha empezado a descubrir los tipos de personalidad. As probable que ya haya empezado a incrementar su autoconciencia, en relación tanto a cómo se comporta naturalmente y cómo elige comportarse. La concientización es el primer paso para **entenderse a sí mismo** dentro del contexto de su estilo de personalidad.

A medida que empieza a tomar conciencia de sus diferentes acciones y sus propias pautas de comportamiento, podrá entender su propio estilo de *personalidad* y eso le permitirá ver de manera más objetiva lo que hace. Hablaremos de este paso en el siguiente capítulo.

Paso Dos del CP

Entender a otra persona, y cómo la perspectiva de personalidad de esta persona puede ser distinta a la suya, es el segundo paso. Simplemente estar consciente y enfocarse objetivamente en *la perspectiva de otra persona*, fuera de su marco de referencia ¡es una gran experiencia! Puede realmente ver la vida a través de los ojos de esa persona por primera vez. Exploraremos esto más a fondo en el capítulo ocho.

Paso Tres del CP

El siguiente paso es donde realmente crean un efecto positivo su conciencia y entendimiento. A medida entiende su propia personalidad, y la de otra persona, usted puede aprender a relacionarse con él de diferente manera. Puede aprender a decir y hacer las cosas de maneras que se relacionan con esa persona desde su perspectiva y no la de usted. A esto lo llamamos "**adaptar su estilo**".

La toma del tercer paso, la adaptación de su estilo, le habilita para crear mejores relaciones. Le permite adaptar sus palabras y acciones hacia los demás para poder comunicarse con ellos efectivamente. Se comunicará con ellos conforme al estilo de ellos, en vez del suyo propio, mientras aprende *a hablar desde una perspectiva que responde a las necesidades e intereses de los otros*. Esta clave de comunicación abre las puertas a mejores relaciones. ¡En el Capítulo Nueve trataremos este tercer paso!

Paso Cuatro del CP

A medida va formando mejores relaciones con los que están a su alrededor, puede elevar su conciencia a otro nivel completamente nuevo. Empezará a reconocer que a veces las relaciones individuales se convierten en parte de algo más grande. Esto sucede en una familia, donde más de dos personas se relacionan. También sucede en el lugar de trabajo, cuandoquiera trabajan juntos más de dos personas para hacer algo que uno sólo no podría hacer tan bien.

Este es el cuarto paso, **la formación de mejores equipos.**
El cuarto paso amplía el alcance de su comunicación efectiva para incluir un grupo de personas que operan como equipo. Esta es una experiencia excepcional que es demasiado rara. De ciertas maneras puede parecerse a esa experiencia mágica de campamento que puede haber tenido de niño o adolescente. ¿Alguna vez ha tenido una experiencia como esa?

Usted pasa una semana en un campamento, ya sea voluntaria o involuntariamente. Hace cosas con sus compañeros de cabaña, y comparte con ellos algo de quien es usted. Le caen bien uno o dos de sus compañeros de cabaña, uno le disgusta y hacia los demás es indiferente. Su consejero logra unir al grupo. Entonces, algo empieza a suceder. Usted empieza a disfrutar de estar con su grupo y aprecia cómo lo hace sentir el grupo. Parece convertirse en su mejor ser cuando está con ellos. Cuando hacen juegos, hace porras por sus compañeros de cabaña. Comen juntos. Duermen en el mismo cuarto. Se toman el pelo los unos a los otros ¡Qué divertido!

Usted compartió una experiencia con un grupo muy especial. Quizás ha deseado o hasta tratado de repetir la experiencia y recobrar los sentimientos que vivió en esos momentos, pero nunca fue lo mismo. Esta es una forma de reconocer un verdadero equipo, El grupo parece tener una sinergia que nace de esa gente y situación. De alguna manera, el grupo cobra vida, y cada persona es parte de lo que el grupo ha creado.

¿Cómo pasa esto? No solo tendrá una relación individual con cada persona del equipo, sino que ellos también tendrán relaciones individuales entre sí. Estas relaciones afectarán al equipo como un todo, y sin embargo, el equipo tendrá vida por sí sólo. Usted empieza a apreciar las fortalezas y luchas de cada persona del equipo. El equipo comienza a inspirarse de las fortalezas de cada estilo de personalidad y la sinergía muestra que en verdad, *¡juntos cada uno logra más!* Este es el cuarto paso – la formación de equipos mejores y más efectivos. Introduciremos este paso en el Capítulo Diez.

Eleve su conciencia y efectividad a través de su CP... **¡su Cociente de Personalidad!**

Cuatro pasos para elevar su CP

1. Entenderse así mismo a través de su propio estilo de Personalidad.
2. Entender a otra persona a través de su estilo de personalidad.
3. Adaptar su estilo para crear mejores relaciones
4. Formar mejores equipos, donde...

¡Juntos Todos Logramos Más!

El entendimiento comienza con la conciencia

Hemos introducido su **Cociente de Personalidad** y hemos tratado la importancia de hallar satisfacción en la vida. La conciencia es la clave que abre la puerta a cada uno de estos pasos. La conciencia empieza con estar alerta y observar su propio comportamiento. Podemos ilustrar cómo el fomento de la conciencia es como armar un rompecabezas. ¿Cómo puede empezar a armar este rompecabezas, para elevar su conciencia y dar este primer paso hacia el autoentendimiento? Cuando usted arma un rompecabezas, para empezar saca las piezas de la caja y las coloca hacia boca arriba sobre la mesa. ¿Por qué? ¡Para poderlas ver! Usted está alerta. Observa el número de piezas, sus formas y colores.

> *Usted no puede darse cuenta de algo*
> *de lo cual no está primero conciente!*

Ya que es probable que haya armado antes un rompecabezas, ¡ó mira la imagen en la caja ó no la mira! Para algunas personas, lo primero que hacen es mirar la caja. Quieren saber cómo lucirá la imagen. Están conscientes de la ventaja que les dará esta información. Pueden empezar a notar un patrón en las piezas. Para otras personas, ver la imagen de la caja es como hacer trampa. Prefieren descubrir el patrón a medida van armando el rompecabezas. Quizás están más conscientes de las formas de las piezas, dirigiendo su atención a la colocación de las piezas por su forma en vez de su color.

> *El estar consciente es cuestión de conocer y ganar conocimiento de primera mano acerca de sí mismo. Debe estar consciente de lo que hace: significa que en eso centrará su atención.*

Hay otra diferencia marcada entre las personas que disfrutan de armar rompecabezas. Hemos ya observado que algunos miran la imagen, y otros no. También podemos observar que algunos son *sensatos*. Empiezan con el marco, separan las piezas por color y trabajan una sección a la vez. Ya que piensan en distintas formas de identificar las piezas, podemos decir que son más lógicos en su enfoque al rompecabezas. Otros dependen más de sus sentimientos, y son más *sensibles*. Tantean hasta hallar el lugar de cada pieza.

Ya sea que es más sensato o más sensible en su enfoque a los rompecabezas, lo empieza a armar y dentro de poco se da cuenta de que el rompecabezas le atrae y no puede dejar de armarlo. Quiere encontrar el lugar para sólo *una pieza más*. Trabaja hasta de noche, pasando de un área a otra, esperando terminar parte de la imagen. Cuando esto sucede, diríamos que realmente *vive* para el rompecabezas, y ¡el rompecabezas le ha llegado a cobrar *vida*! Esto hace que sea más fácil seguir despierto y terminar el rompecabezas. Está alerta e interesado, y le emociona ver su imagen completa!

> *Cuando está totalmente consciente, está vivo para sí mismo: está sumamente sensible a su propio comportamiento. ¡Puede sentirse como si se acabara de despertar! Se ve a sí mismo con ojos completamente nuevos – como nunca se había visto. Se siente totalmente despierto. Está otra vez alerta, para observar y aprender, para ver quien realmente es usted, y para llegar a ser lo mejor que puede ser.*

Mientras está más consciente de sí mismo, empieza a armar las piezas de su comportamiento en el rompecabezas de su personalidad. Ve su propio comportamiento, no para juzgarlo, sino primero simplemente para observarlo. Esto le ayuda a empezar a entenderse más a sí mismo.

En el siguiente capítulo, veamos ¡cómo puede descubrir más acerca de USTED mientras eleva su conciencia y entendimiento!

Capítulo 7

Entiéndase a sí mismo

CP Paso Uno

La Conciencia conduce al entendimiento

¿Alguna vez ha hecho algo que lo ha sorprendido? Todos hemos hecho algo, en algún momento u otro, que sorprendió a todos los demás, pero a veces hacemos cosas ¡que nos sorprenden a nosotros mismos! Por lo general, uno está muy conciente de la cosa extraña que hizo. Se siente sorprendido, ¡porque no entiende por qué hizo lo que hizo!

El estar consciente dirige su atención a su comportamiento. Es como cuando examina las piezas del rompecabezas de su personalidad. La concientización sobre su estilo de personalidad es como mirar la imagen en la caja del rompecabezas. Comienza a ver los patrones de su propio comportamiento. Puede empezar a entender cómo se arma el rompecabezas. Esto es entender su estilo de personalidad. Usted escoge su comportamiento, y ve la verdadera cara y efecto de sus elecciones. Entiende, porque descubre los patrones en lo que hizo y, se espera, obtiene pistas al por qué lo hizo. Este entendimiento le enseña más sobre usted mismo y le permite escoger cuál comportamiento usará la próxima vez que algo similar suceda. ¡Así, no se sorprenderá la próxima vez!

Usted ya ha tomado cierta consciencia sobre su estilo de personalidad al leer los capítulos de **DISC**. El completar la *Página de puntage* de *Personality Insights* le proveerá gráficas de su perfil **DISC** que medirán distintos aspectos de su personalidad. Aunque no es obligatorio tomar la *Página de puntage* antes de seguir leyendo este libro, el material le tendrá aún más sentido cuando completa el análisis mismo. Aún si no ha completado una evaluación, es probable que se identifique con uno de los tipos **DISC** y las afirmaciones correspondientes de cada uno de los cuadros de las siguientes páginas. Normalmente, es fácil conocer el tipo primario de su estilo. Un secreto para entenderse a sí mismo es el conocer más sobre los otros tipos en su estilo, mientras va tomando conciencia sobre las características y tendencias menos predominantes.

Si ha completado alguno de los análisis, tome un momento ahorita para estudiar sus gráficas. Mire su Estilo Básico, que es la *Gráfica II*. Notará un punto de trazado, sea **alto** o **bajo**, para cada uno de los tipos **DISC** de su estilo. Tú Tienes Estilo significa que tiene en su personalidad muy especial una parte de cada uno de los cuatro tipos **DISC**. Su estilo de personalidad único tiene algo de cada uno los rasgos, desde **Muy Alto hasta Alto, Normal, Bajo o Muy Bajo**, de cada uno de los tipos **D, I, S, y C**. No hay nadie que sea un solo estilo. Hasta cierto grado, todos tenemos en nuestro propio estilo de personalidad algo de los cuatro tipos. Recuerde, a esto lo llamamos su **mezcla única de personalidad D I S C.**

¿Se acuerda, cuando era niño, de jugar con un tubo que tenía un lindo espectáculo de luces? Miraba en un extremo de ese tubo especial, giraba el otro extremo, mientras lo apuntaba hacia la luz. Quedó encantado mientras buscaba esa perfecta combinación de colores. ¡Miraba maravillado, viendo la luz bailar y jugar delante de sus ojos! Lo llamaban caleidoscopio, y era fascinante.

Su "Caleidoscopio de Personalidad" es precisamente como el espectáculo de luces que vio de niño. El verde (¡Adelante!) del D, el rojo (¡Brillante!) del I, el azul (¡Pacífico!) del S, y el amarillo (¡Cauteloso!) del C, todos brillando en distintos tonos en la luz de su personalidad. Este caleidoscopio especial capta los colores especiales de la mezcla de **DISC** de su estilo de personalidad. Piense en sus colores. ¿Tiene un alto tipo **S** en su estilo de personalidad? Esto pondría una gran sección de color azul en su caleidoscopio. También le daría una clave para entenderse mejor mientras explora el tipo de personalidad **S**.

Una mirada al tipo de personalidad **DISC** más alto de su estilo puede mostrarle muchas cosas. Cada tipo **DISC** puede usar las preguntas en la siguiente página, y le ayudarán a repasar áreas específicas de interés a su estilo particular.

¿Cuál es su actitud natural ante la vida?

¿Qué es lo que realmente le mueve?

¿Cuál es su punto central cuando aborda temas importantes y resuelve problemas urgentes?

¿Qué ambiente es el mejor para que sentirse cómodo, para que pueda trabajar mejor?

Por ejemplo, yo tengo un tipo de personalidad I alto*. Soy muy extrovertido y muy orientado hacia la gente. ¡Me gusta persuadir a otros a que piensen como yo, y divertirme en el proceso! ¡Me gusta un ambiente amistoso, divertido y emocionante! Por otro lado, a los tipos D alto les gusta al mando de los proyectos mientras siguen concentrados en el cumplimiento. A menudo los he comparado con un misil de rastreo calorífico. ¡Cómo decimos en el sur de los Estados Unidos, "Saben cómo andar tras de algo!" Les gusta un ambiente activo, de ritmo rápido y poderoso. Lo opuesto también es verdad. Los S pueden disfrutar de una noche tranquila en compañía de un amigo cercano, viendo una película que han visto ya varias veces. Los C pueden gozar de una noche a solas, leyendo un buen libro. ¡Cuán diferente somos!

A medida lee los cuadros que siguen, reflexione detenidamente sobre su estilo. Tome un momento para tomar conciencia de sus tendencias. Es posible que observe su propio comportamiento en algunas de estas descripciones. Quizás desee subrayar o poner un círculo a las frases que sienta que se le aplican.

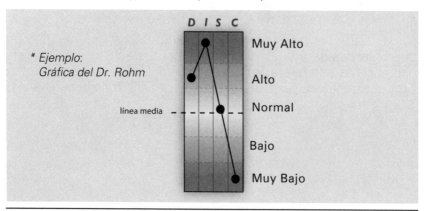

* *Ejemplo:*
  Gráfica del Dr. Rohm

Actitud ante la vida

D ... le gusta liderar o estar al mando

I ... le gusta persuadir a los demás en su manera de pensar.

S ... le gusta proveer el apoyo necesario para ayudar a cumplir la tarea

C ... le gusta la calidad y excelencia constante

¿De qué manera su actitud ante la vida afecta lo que uno hace? Es su punto de partida – la perspectiva desde la cual usted considera cualquier situación en la vida. Cuando nuestro equipo de Personality Insights empezó a trabajar en este libro, cada uno cumplió un papel diferente. Los del estilo **D** alto nos dieron el reto de crear este libro. Decidieron lo que había que hacer, y quién haría qué. Usé mi estilo **I** alto para añadir algunas historias e ilustraciones buenas que darían cierta vida al libro. También traté de inspirar a todos con la posible importancia de este proyecto. El estilo **S** completo sus tareas, nos mantuvo trabajando como equipo y se aseguro que cada uno tuviera café. El estilo **C** alto contribuyó material de calidad que daría sustancia al libro. El estilo **C** también revisó cada parte.

Cada uno abordamos el proyecto desde una perspectiva diferente debido a nuestra diferente actitud ante la vida, ¡y esta diferencia es la fortaleza de nuestro equipo! De la misma manera, su actitud ante la vida le da un enfoque especial a todo lo que hace.

Enfoque

D ... Cumpla el trabajo -¡simplemente, hágalo!
¡Supere la oposición y logre sus metas!
¡Los ganadores nunca se dan por vencidos y
los vencidos nunca ganan!

I ... ¡Soy todo suyo! Nos podemos divertir y
si todos jalamos en la misma dirección,
nuestro éxito nunca terminará!

S ... Todos para uno, y uno para todos! Si todos
caminamos juntos, haremos un gran equipo.
¡Es mejor tener a todos juntos que a solo
uno de nosotros!

C ... Cualquier cosa que vale la pena hacer,
vale la pena hacer correctamente. Uno
debe proveer productos y servicios de
calidad a través de un trabajo cuidadoso y
concienzudo.

El enfoque entra en juego cuando nos enfrentamos problemas o adversidad. ¿En que nos concentramos cuando se presenta un reto? ¡Cuando vemos la lista anterior, podemos ver la diferencia que hace! ¿Usted simplemente sigue adelante o espera del grupo una risa que rompa la tensión? ¿Busca maneras de ayudar a alguien del grupo para que el proyecto se pueda terminar, o toma un tiempo para determinar la forma correcta de hacer algo? Uno de estos aspectos será su centro primordial cuando enfrenta los retos. Sus otros tipos también jugarán un papel de apoyo mientras se concentra en resolver sus problemas cotidianos.

Por ejemplo, una persona que tenga una mezcla de los estilos **D** alto y **C** secundario hallará la solución correcta para poder terminar el trabajo rápidamente. Esta mezcla no quiere regresar para arreglar otro problema creado por una solución apresurada. El rasgo secundario sirve al primario mientras este individuo se concentra en terminar el trabajo, haciéndolo lo de una manera correcta. ¡Por cierto, esta mezcla es ideal para un abogado litigante!

> *La forma en que los cuatro rasgos operan juntos en su propio estilo de personalidad se conoce como su Mezcla de Estilos.*

Nuestro ambiente siempre nos afecta. Cierto ambiente puede dificultar nuestra concentración o comunicación, mientras un cambio de ambiente quizás lo haría más fácil. Todos tenemos un ambiente ideal, donde nos sentimos más cómodos y es más fácil relacionarnos, comunicar y lograr nuestro mejor trabajo.

Ambiente Ideal

D	... Animado, rápido, poderoso
I	... Divertido, amistoso, emocionante
S	... Predecible, estable, armonioso
C	... Estructurado con procedimientos, precisión, calidad

Su ambiente ideal es la situación que más le gusta. Es aquel en el que puede relajarse, relacionarse con la gente y sentirse energizado para poder hacer su mejor trabajo. Por ejemplo, un ambiente ideal para el tipo **C** tendría estructura para procedimientos, calidad y precisión. Por otro lado, ¡este ambiente sería muy estresante para un tipo **I** que quiere un ambiente divertido, amistoso y emocionante! ¿Se acuerda que digo con frecuencia que los opuestos se atraen? Las personas con estilos diferentes a menudo se casan, y luego tienen que vivir juntos. *¡Los opuestos se atraen y después se atacan!* ¡Realmente debemos entender nuestras diferencias en cuestión de ambiente ideal! Piense en un momento cuando hizo su mejor trabajo. Probablemente encuentre que esta situación creó un ambiente ideal para interactuar y desempeñarse.

Necesidades Básicas

D ... Reto, selección, control

I ... Reconocimiento, aprobación, popularidad

S ... Aprecio, seguridad, certeza

C ... Respuestas de calidad, valor, excelencia

Uno de mis pensamientos favoritos que me encanta decir es, *" La gente no actúa en contra de usted. ¡Hacen las cosas para sí mismos!"* Esto quiere decir que por naturaleza todos buscamos satisfacer nuestras propias necesidades básicas. A veces se cumplen estas necesidades fácilmente, pero a menudo buscamos maneras adicionales de satisfacer nuestras necesidades. Como mencionamos en nuestros programas de entrenamiento de Personality Insights, con frecuencia la gente dará a su pareja lo que ellos mismos necesitan, ¡sin entender que su pareja podrá necesitar de otra cosa totalmente distinta!

Un entendimiento de nuestras necesidades básicas también nos ayuda a ver la posible motivación de hacer algo que otra persona podría quizás malentender. ¡Qué diferencia hay entre un tipo **D**, que necesita reto y control, a un tipo **S**, que necesita la seguridad y aprecio!

¡La triste realidad es que a menudo damos a los demás lo que nosotros necesitamos, no lo que ellos necesitan! A veces una persona de tipo **I** alto, que necesita reconocimiento y aprobación, le dice a un **C** que se levante y aceptar los aplausos enfrente de un grupo. ¿Puede ver cómo esto no satisface la necesidad de la persona **C**? Sucede lo mismo cuando una persona **C** alto trata de vender algo a un **I** alto, dándole un análisis detallado de la calidad del producto. ¡El **I** sólo quiere saber si a otras personas les gusta y si el uso será sencillo y divertido! Cuando se da a los demás lo que *ellos* necesitan, se les satisface de verdad, lo cual, a la final, también realmente nos satisface *a nosotros*. Para hacer esto, debemos primero entender las necesidades y deseos básicos de cada tipo de personalidad.

En todas estas maneras, ¡*cada día* los tipos de personalidad **DISC** enfrentan la vida desde una perspectiva diferente! Cuando reflexiona sobre las frases anteriores que eligió para describirse a sí mismo, puede comenzar a entenderse mejor.

En Resumen

A medida que continua la lectura de *Tú Tienes Estilo*, , tome tiempo de subrayar la información que se aplique a usted. Note cómo se refleja su *Actitud ante la vida* en su diario vivir. Empiece a notar su *Enfoque* y cómo la gente le responde en situaciones cotidianas, especialmente cuando se presentan adversidades y surgen problemas. Reconozca su forma de responder cuando su *Ambiente ideal* le permite comunicarse e interactuar de manera más fácil. Piense en su proceso de toma de decisiones, y explore las necesidades básicas que satisface cuando toma sus decisiones.

Puede haber notado que parecía relacionarse más con una de las frases en cada una de las secciones anteriores. Así como tiene todos cuatro tipos en su estilo de personalidad, también tiene una *mezcla especial* de características, o rasgos en su estilo. A esto le decimos *su Mezcla de Estilos*.

Su Mezcla de Estilos

Nuestra discusión en los capítulos anteriores de cada tipo **DISC** le dio una introducción básica a los tipos clásicos **D**, **I**, **S**, y **C**. Sabemos, por ejemplo, que el tipo **D** es Dominante, Directo, Exigente, Decisivo, Determinado. Este es el prototipo clásico, pero no puede esperarse que sea igual para todos. **No hay nadie que sea un tipo solamente.**

Puede tomar conciencia y entender mejor lo que le motiva, su pasión real, y su perspectiva natural, si se concentra en el tipo más alto de su estilo de personalidad. Este es el estilo **DISC** que lo describe mejor. Aparece en su Análisis de Perfil como el punto más alto trazado en su *Gráfica II – Estilo Básico*. Identificamos este tipo en su estilo diciendo que tiene, por ejemplo, un Estilo **S** alto, o quizás un estilo **C** alto. Puede haber reconocido que tiene ciertas características, o rasgos, de comportamiento de todos cuatro tipos **DISC**. Por ejemplo, usted puede sentir que es Directo e Influyente, y a la vez, *Estable y Cauteloso*. Por esto puede visualizar algo de cada uno de los cuatro colores **DISC** en su *"Caleidoscopio de Personalidad"*. Su Mezcla de Estilo especial identifica el tipo o tipos altos en su estilo de personalidad acorde a la intensidad de su estilo.

Más comúnmente, la gente tiene más de un tipo alto en su estilo de personalidad o más de un punto trazado por encima de la línea media. Cerca del 80% de la población tiene más de un tipo alto en su estilo. Esto significa que tiene más de un tipo **DISC** con el cual se identifica. Usted puede tener 1, 2, o hasta 3 puntos trazados por encima de la línea media de su *Gráfica de Estilo Básico*. ¡Puede parecerle un poco confuso esto, pero cada uno de estos tipos altos puede también variar en su fuerza e intensidad!

En general, un tipo es predominante. Uno ó dos tipos pueden también estar por encima de la línea media de su gráfica de perfil de personalidad pero no tan alto como el tipo más alto. Esto significa que esos rasgos también son fuertes o están "activos" en usted. Por ejemplo, mi tipo más predominante es el estilo **I**. Pero mi estilo **D** también está por encima de la línea media de mi gráfica básica de personalidad. Esta es una distinción importante que me ayuda a entender mejor a cuál estilo de personalidad he de usar y lo que probablemente haré cuando esté bajo estrés.

El tipo más alto secundario en su estilo de personalidad sirve o ayuda a su tipo primario, utilizando esos rasgos de comportamiento para servir y lograr su pasión. Por ejemplo, ya que soy un I alto, por naturaleza trataré de influir a los demás de manera muy persuasiva, a fin de alcanzar mis propios objetivos. Como mi tipo secundario es el D, también lucharé mucho y de manera decisiva para alcanzar mis metas lo antes posible. El siguiente tipo en orden es el S, lo que me permite siempre tener en consideración los sentimientos y consideraciones de otros cuando avanzo en un proyecto. Trato de disminuirlo lo suficiente como para asegurarme de que todos seguimos al mismo ritmo. Y... me apena estar consciente de que mi tipo C es inadecuado. Por lo tanto, busco apoyo del personal para ayudarme en esa área de cautela. Su *Mezcla de Estilos* utiliza los tipos D, I, S, y C para mostrar la mezcla de los tipos más altos en su estilo. Se escribe así: Un D/I o S/C o I/SC. La primera letra indica el tipo más alto, y las letras que siguen la raya son los tipos secundarios.

Entendiendo las Mezclas de Estilo

Podemos observar dos diferentes tipos de Mezclas de Estilo. Si volvemos a mirar a nuestro círculo **DISC**, notamos que las Mezclas de estilo más comunes son de tipos**DISC** adyacentes en el modelo:

Mezclas de Estilo Complementarias

D con C o I
D/C
D/I

I con S o D
I/D
I/S

S con C o I
S/C
S/I

C con D o S
C/D
C/S

Estas son Mezclas de estilo complementarias porque los rasgos de comportamiento de estos tipos parecen complementarse mutuamente. Tienen una parte del círculo **DISC** en común. Los dos son Extrovertidos o Reservados, o los dos son Orientados hacia la tarea u Orientados hacia la gente.

Las Mezclas de estilo menos comunes son aquellas que incorporan tipos en lados opuestos del modelo:

Mezclas De Estilo Que Contrastan:

D/S o S/D   I/C o C/I

D/S   I/C

S/D   C/I

Estas son Mezclas de estilo de contraste, porque los rasgos de comportamiento de estos tipos parecen, con frecuencia, ser opuestos. En estas Mezclas de Estilo los dos tipos son opuestos para extrovertidos o reservados, y también son opuestos para los orientados hacia la tarea u orientados hacia la gente. Las personas con mezclas de estilo de contraste pueden sentir que la gente los malentiende, porque pueden comportarse en formas que parecen ser contradictorias. Estas personas también pueden sentir más conflicto en la toma de decisiones porque deben balancear dos perspectivas contradictorias dentro de su propia personalidad. He llegado a entender que estos estilos de contraste son, en realidad, muy dinámicos. ¡Cómo dinamita! Pueden hacer que usted explote o pueden crear juegos pirotécnicos hermosos. *El secreto está en saber cómo controlar y usar el poder de su personalidad.*

Porcentajes de mezclas de personalidad en la población en general

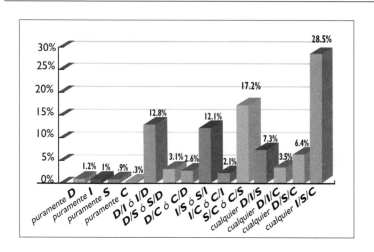

Este cuadro muestra cuán común en la población general es su Mezcla de Estilos. Para una información más completa sobre su mezcla de estilo particular, favor de consultar *La página de puntage*. (Llame a nuestra oficina, ó visite nuestro sitio Web para pedirla.)

Después de leer este material, es posible que por primera vez realmente sienta las diferencias en sus estilos de personalidad cuando debe tomar una decisión que implique a otras personas. La siguiente sección menciona las prioridades que solemos escoger cuando consideramos una decisión.

Toma de Decisiones

Cada estilo de personalidad por naturaleza aborda las decisiones de manera distinta. Usted conoce a ciertas personas que son muy impulsivas en la toma de decisiones. Conoce a otros que se sienten estresados si deben tomar una decisión rápidamente. Un entendimiento de su estilo de toma de decisiones puede ayudarle a mejor balancear las cuestiones implicadas e interactuar con la gente que se verá afectada por sus decisiones.

La Prioridad del Poder

La gráfica de Prioridad Básica muestra que entre más arriba de la línea media esté el punto trazado para el **D**, mayor será la intensidad del tipo **D** en el estilo de esta persona. Entre mayor sea la intensidad del tipo **D**, más cómodo se siente en el uso **del Poder** *para tomar una decisión* para resolver un problema. Los **D** no dudan de sí mismos. Prefieren estar en control. Si se les da la oportunidad, gustosamente decidirán ¡por sí mismos y por todos los demás.

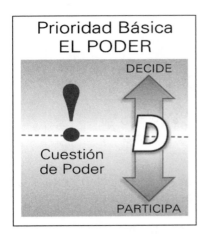

Prioridad Básica
EL PODER

DECIDE

Cuestión
de Poder

PARTICIPA

Entre menor sea la intensidad en la prioridad del **D**, menos cómoda se siente la persona en la toma de decisiones rápidas. Los de estilo **D** bajo prefieren utilizar **el Poder** como una forma en que todos pueden *participar* en la toma de decisiones con un acuerdo de opiniones entre todos los que están involucrados. Ellos prefieren trabajar en equipo. Dada la oportunidad, participarán en el proceso pero al final participarán permitiendo al grupo tomar la decisión.

¿Le da usted mucha importancia al poder que tienen las personas envueltas en la situación, o primero evalúa su propio poder para resolver un problema? Estos son los dos factores básicos en la *Prioridad Básica* del **Poder** del estilo **D**. Si el **D** es tipo más alto de Mezcla de Estilos, probablemente encontrará que su poder de decidir es más importante en cualquier decisión que tome. Si, de lo contrario, usted tiene un **D bajo** en su estilo, estará más inclinado a participar con los demás, pidiendo la opinión de varias personas y permitiendo al grupo tomar la decisión. ¡Qué diferencia produce esto!

Un buen ejemplo de esta diferencia en prioridades sucedió en nuestra oficina en Atlanta, Georgia. Ken Voges, un Consultor de tipo **C/S** en Houston, Texas, estaba tomando la decisión de cuándo regresar a nuestras oficinas para reunirse con nosotros. Ya que tiene un estilo **D bajo**, él quiso que todos participaran en su decisión. Preguntó a cada persona involucrada, individualmente, si alguna fecha determinada sería aceptable para esa persona. Después de llegar a un consenso, durante la reunión de personal, anunció las fechas de sus esperadas reuniones. Uno de nuestros otros miembros de la oficina, quien tiene un **D alto**, notó el proceso de Ken y comentó que ella hubiera tomado la decisión de distinta manera. Ella hubiese decidido una fecha determinada, la hubiese anunciado el día de la reunión y le hubiese pedido al grupo que le confirmara si esta fecha era buena para ellos. ¿Ve que realmente hay *distintas* maneras de abordar una decisión? Nuestros tipos de personalidad juegan un papel importante en todo lo que hacemos ó decimos.

La Prioridad de la Gente

Esta gráfica de *Prioridad Básica* muestra que entre más encima de la línea media esté trazado el punto I, más alta es la intensidad del tipo I en el estilo de esa persona. Entre mayor sea la intensidad del tipo I, más cómoda es la persona en acercarse a la **Gente**, para persuadir a otros. Los I toman decisiones de manera impulsiva basados en la aprobación de otros. ¡Ellos prefieren pensar voz alta y si tienen la oportunidad, tomarán la decisión popular!

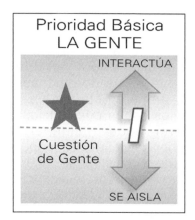

Entre menos intensa sea la prioridad del I, menos cómoda está la persona en tomar decisiones impulsivas. Los I **bajos** prefieren acercarse a la gente y escuchar lo que tiene que decir. Toman una decisión de manera lógica, después de escuchar muchos puntos de vista. Prefieren ser persuadidos. Si se da la oportunidad, se aislarán y tomarán la decisión de manera lógica basados en muchos datos y opiniones.

Al tomar sus decisiones, ¿le da usted más importancia a los sentimientos de las personas a su alrededor, o a la lógica de las distintas opiniones ofrecidas? Estos son los dos factores en la *Prioridad Básica* de la Gente del tipo I. Si el I es el tipo más alto en su Mezcla de estilos, posiblemente encontrará que lo más importante en cualquier decisión que usted tome es persuadir a los que están a su alrededor. Si, de otra manera, usted tiene un tipo I muy bajo, estará más inclinado a escuchar argumentos opuestos y evaluarlos lógicamente antes de tomar su decisión. ¡Qué diferencia puede hacer esto!

Prioridad de lo Previsible

Esta gráfica de *Prioridad Básica* muestra que entre más encima de la línea media el punto **S**, mayor será la intensidad del tipo **S** alto en el estilo de

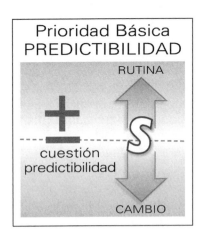

Prioridad Básica
PREDICTIBILIDAD
RUTINA
cuestión predictibilidad
CAMBIO

la persona. Entre más alta sea la intensidad del tipo **S**, más cómoda es la persona en conversar la **Predictibilidad** mediante una rutina en un ambiente cómodo, estable, invariable y que no amenace. Los **S** prefieren atenerse a lo que ellos saben que funciona. Prefieren poder mantener la predictibilidad. ¡Si se los empuja demasiado, resistirán al cambio calladamente y con tenacidad!

Las personas de tipo **S** bajo, alejándose de la línea media, suelen sentirse más cómodas con el cambio. La rutina les aburre, en lugar de hacerlos sentir cómodos. Prefieren considerar la Predictibilidad como una oportunidad para cambiar su ambiente. Les encanta la variedad. Prefieren ser espontáneos. Si se da la oportunidad, decidirán probar algo nuevo.

Usted, ¿le da más importancia en la toma de sus decisiones a atenerse a lo que ya funciona o en la posibilidad de probar algo nuevo? Estos son los dos factores en la prioridad Básica de lo previsible del tipo S. Si tipo **alto** en su Mezcla de Estilo es el **S**, probablemente encontrará que en la toma de sus decisiones es más importante mantener las cosas en un mismo nivel. Si, de otra parte, usted tiene un tipo **S bajo** en su estilo, estará más inclinado a recomendar probar algo nuevo o diferente, tan sólo para ver qué pasa. ¡Qué diferencia puede hacer esto!

Prioridad del uso de Procedimientos

Esta gráfica de *Prioridad Básica* muestra que entre más encima de la línea media este el punto trazado del tipo **C**, mayor será la intensidad de este tipo **C** en el estilo de la persona. Entre mayor sea la intensidad del tipo **C**, más cómodo estará la persona en usar un **Procedimiento** en base a los hechos en un ambiente que esté bien estructurado. Los de tipo **C** alto desean tener muchos datos e información que estén en orden definida. ¡Las cosas deben estar organizadas de tal manera que todos jueguen según las reglas! Prefieren mantenerlos los principios. ¡Si se da la oportunidad, decidirán de manera objetiva en el procedimiento correcto!

Las personas que están en el lado bajo de la prioridad **C**, lejos de la línea media, estarán menos cómodas con una estructura que tenga reglas rigurosas. Prefieren usar Procedimiento de acuerdo a sus sentimientos en un ambiente donde sean libres e independientes. Prefieren la autoexpresión. Si algo afecta sus sentimientos, ellos decidirán de manera instintiva y subjetiva, de acuerdo a esos sentimientos.

En la toma de sus decisiones ¿pone usted más importancia a las reglas, hechos y estructura envueltos en una situación o tiende usted a seguir su instinto? Estos son los dos factores en la *Prioridad Básica* del uso de procedimiento para el tipo **C**. Si **C** es el tipo más **alto** en su Mezcla de Estilos, probablemente encontrará que el mantener los principios a través de estructura y orden es lo más importante en su toma de decisiones. Si de otra manera, usted tiene en su estilo un **bajo** tipo **C**, estará más inclinado a obedecer a su instinto y seguir sus sentimientos cuando toma sus decisiones. ¡Qué diferencia puede hacer esto!

¿Cuál de estas Prioridades Básicas es más importante para usted en la toma de decisiones? A medida que repasa las gráficas de Prioridades Básicas que acabamos de aprender, no se olvide de observar las perspectivas altas de cada estilo al igual que las perspectivas bajas. Es posible que encontrar que se inclina hacia varios diferentes aspectos de las perspectivas, tanto de las altas como de las bajas. ¿Cuál es la prioridad más importante para usted en su toma de decisiones? ¡Usted es quien decide! Encontrará que a medida toma más conciencia de sus tendencias en esta parte de su personalidad, estará más capacitado para evaluar todas estas prioridades en su decisión. ¿Al fin de cuentas, no es muy importante considerar el poder que usted y otros tienen en una situación? ¿Qué tal si evalúa los datos lógicamente y a la vez persuade a las personas involucradas en una situación? ¿No necesitamos a veces mantener un proceso sin complicaciones para mantener la predictibilidad, mientras en otros momentos debemos comenzar de nuevo o probar algo nuevo? Y finalmente, qué procedimiento vamos a seguir; ¿estamos atados a las reglas y a la estructura, o a nuestros propios sentimientos cuando tomamos una decisión? En realidad, una buena decisión considera todas estas posibilidades, mientras mide la importancia de cada una en cada situación individual.

En la vida, tomamos muchas decisiones a diario. Las cuestiones que usualmente están involucrados en estas elecciones requieren de un balance de nuestras prioridades en lugar de escoger una de ellas. Apelamos a nuestras fortalezas bajo control para mantener un equilibrio en las cosas. ¡Quizás sea por esta razón que sentimos a veces que la vida es un gran acto de malabarismo! Nuestras vidas están más seguras cuando nos sentimos confiados en las decisiones que tomamos, y el entendernos a nosotros mismos es básico para encontrar esta satisfacción.

¡Confiamos que su autoconciencia crezca a medida que empieza a entenderse a sí mismo a través de su estilo de personalidad! Este es el primer paso de los cuatro pasos necesarios para elevar su **CP**. El Primer paso, Aprender a entenderse a usted mismo, es fundamental para los siguientes tres pasos. ¡Por cierto **... se le puede ver el CP!**

Capítulo 8

Entienda a los demás

CP Paso Dos

El segundo paso para elevar su **CP** es aplicar lo que hemos aprendido sobre nosotros mismos y extender nuestro conocimiento para incluir a otra persona. En el capítulo anterior, hablamos de su Mezcla de Estilo - la mezcla de características de todos los cuatro tipos **DISC** que constituyen su mezcla única de estilo de personalidad. Entendimos que nadie es sólo un **D**, **I**, **S**, ó **C**. Al contrario, cada persona es una mezcla única de estilo de estos cuatro tipos básicos. De la misma manera en que usted tomó consciencia de su propio comportamiento y estilo de personalidad, puede mejorar su conciencia acerca de los que están a su alrededor. En estos tipos **DISC**, uno puede hallar las claves para entender a su cónyuge, hijos, amigos, compañeros de trabajo, o conocidos profesionales. ¡Estas claves pueden abrir las puertas de una relación personal más satisfactoria o una relación comercial más exitosa!

Puede empezar a entender a los demás si observa la forma en que los otros estilos de personalidad tienen perspectivas, actitudes y preferencias distintas a las suyas. Es fácil entender a alguien que se parece mucho a nosotros. Sin embargo, cuanto se trata de aquellos que son diferentes a nosotros, ¡con frecuencia vemos que esas diferencias nos vuelven locos! Si usted puede tomar conciencia de los patrones en el comportamiento de otros y apreciar su perspectiva, *¡ puede entender* lo que hacen y quizás aprender a valorarlos más! ¡Es posible que simplemente vean la vida desde otra perspectiva diferente que usted!

Mire los cuadros del capítulo anterior, y note la *Actitud ante la vida, Enfoque, Ambiente ideal* y *Necesidades básicas*, que *usted no escogió* como los suyos. Estas describirán una perspectiva muy distinta a la que describieron sus propias selecciones. Por ejemplo, cuando hablo con Carl Smith, el Director de nuestro Programa de Entrenamiento, acerca de un proyecto de trabajo, es posible que yo tenga prisa para que se termine lo antes posible. A veces, en el proceso, me emociono demasiado y tiendo a "atropellar" a la gente. Debo recordar que el *Enfoque* de Carl, como un **S alto**, será de proveer un servicio excelente para ayudar a todos, mientras evita el conflicto a cualquier costo. Cuando Carl siente que se presenta algún conflicto, en silencio se "cierra" y deja de trabajar. Al entender cómo me puedo relacionar mejor con Carl, me pongo en una posición en que puedo interactuar de una manera más positiva con él y su estilo de personalidad. Esto nos ayuda a los dos a ser más productivos y menos estresados. La forma en que nos relacionamos, interactuamos y reaccionamos a otra persona con su estilo de personalidad se conoce como nuestra *Combinación.*

Quizás, mientras ha leído estos capítulos sobre **DISC**, usted ya ha pensado en alguien cercano a usted. Por ejemplo, es posible que usted por naturaleza no sea Sustentador, ¡pero *su cónyuge sí!* O, usted está seguro de que su jefe es un **I alto**, porque hasta puede hacer divertido el trabajo! O quizás reconoció a su hijo Dominante, quien parece tener un don de llevar la situación a extremos en la escuela. A veces, uno puede observar el comportamiento de otra persona para obtener claves sobre su estilo de personalidad. A medida va aprendiendo sobre otra persona, puede estar consciente de las cosas que esa persona hace y que usted necesita o aprecia. Asimismo, puede estar consciente de las cosas que hace esa persona que lo vuelven loco! Podemos aprender acerca de estas combinaciones y disfrutar de mejores relaciones...

Quizás su cónyuge o amigo cercano esté dispuesto a mostrarle las gráficas de su *Página de Puntage* o su *Informe de Descubrimiento* (hecho en Internet), personalizado. Cuando conoce el(los) tipo(s) alto(s) del estilo de esa persona, puede consultar las gráficas para entendimiento de la *actitud ante la vida* de esa persona, su *Enfoque, Ambiente ideal,* y *Necesidades básicas.* Empezará a darse cuenta que su perspectiva es semejante a la suya o que es distinta de su perspectiva. Empezará a entender que la forma en la que esa persona se comporta y cómo se expresa, es a menudo el resultado de su perspectiva de personalidad. Entonces, verá por los ojos de esa persona, y lo podrá entenderlo mejor. *Este es el comienzo del Segundo Paso – Entienda a los demás.*

Combinaciones

Encontramos Combinaciones en cada área de nuestras vidas. (Las combinaciones hacen referencia a la interacción de una o más personas con otra.) El matrimonio, amistades, compañeros de trabajo, compañeros de clase, padres e hijos, profesores y alumnos, hermanos, patrón y trabajador, todas estas relaciones son ejemplos de combinaciones que forman parte de las relaciones a largo plazo. También encontramos combinaciones en relaciones de corto plazo con conocidos, clientes, vendedores, y otras personas con quienes interactuamos en el curso del diario vivir. ¿Cómo nos relacionamos con estas personas? ¿Cómo se relacionan estas personas con nosotros?

Cuando nos relacionamos con nuestro cónyuge en una relación matrimonial, interactuamos en Combinacion. Casi toda relación matrimonial comienza de una manera feliz. Al fin y al cabo, ¿por qué se casaría con alguien que no le gusta? La mayoría de nosotros nos casamos con alguien a quien amamos profundamente, con quien planeamos pasar el resto de nuestras vidas. Normalmente apreciamos en nuestra pareja las características que nosotros no tenemos, y nos gusta lo diferente que es de nosotros. A medida vamos interactuando y crece la relación, sucede algo extraño. Encontramos características en nuestra pareja que nos irritan. Hemos descubierto la verdad de que ¡los opuestos se atraen... y luego se atacan! Nuestras diferencias crean discordia y nos frustramos. ¿Cuántas veces se ha preguntado, "¿Por qué no puedes ser normal, como yo?" Debemos recordar que las mismas atracciones que comenzaron nuestra relación fueron nuestras diferencias. También debemos aprender a apreciar nuestras fortalezas individuales y manejar nuestras diferencias de manera efectiva. Debemos aprender cómo vivir en Combinación.

El vivir con Combinación con nuestra pareja es una clase de relación personal. También tenemos relaciones que son relaciones profesionales. En esas Combinaciones, el centro es de trabajar juntos. ¿Por qué es difícil para la mayoría de las parejas trabajar juntos? ¿Por qué es difícil para los compañeros de trabajo tener un romance? ¡Estas Combinaciones crean dinámicas diferentes! Nuestra conciencia de los estilos de personalidad puede ayudarnos a entender la dinámica de estas diferentes Combinaciones y aprender a desarrollar relaciones más efectivas en ambas áreas de nuestras vidas.

A medida vamos aprendiendo sobre las Combinaciones, recuerde que a través de nuestras fortalezas exclusivas, nos enriquecemos y apoyamos mutuamente. A medida que nos damos cuenta de nuestras diferencias, pueden llegar a ser barreras al entendimiento o intimidad, o pueden ser puentes hacia la conciencia y crecimiento. ¡Depende de lo que hagamos con ellas!

Combinaciones con el tipo Dominante

Los **D** naturalmente toman mando de una relación. Toman acción rápida cuando reconocen una oportunidad para hacer algo, y a la vez pueden asegurar que usted también aproveche al máximo sus propias oportunidades. ¡Los **D** responden rápidamente a la oportunidad de probar algo nuevo y suelen dirigir a los demás a que hagan lo mismo!

La vida está en cambio constante y los **D** toleran bien los cambios. Con frecuencia provocan cambios para sacar los resultados que desean. Respetamos su capacidad de resolver problemas y tomar de su fortaleza para ayudarnos a sobrellevar las dificultades de cualquier situación.

Para las personas con estilo Dominante, una buena relación es aquella en que no están bajo controles o supervisión. Quieren experimentar muchas diferentes actividades con usted, por cuanto es probable que su relación esté centrada en hacer las cosas que ellos prefieren y alcanzar las metas de ellos. Realmente disfrutan del reto, y quieren autoridad y poder para poder confrontar al desafío. ¡Sentirá la fuerza de su energía!

Los **D** esperan dinamismo de los demás. ¡Lo que para usted sería un altercado, para ellos es normalmente una simple discusión! Por naturaleza, lo evalúan de acuerdo con los resultados que alcance, y les atrae la gente que les ayuda a culminar sus metas. Las amistades personales usualmente les proveen diversión, estabilidad o pericia en algún área de interés para ellos. Se interesan por trabajar con personas que cumplen las partes de la tarea que ellos no tienen el tiempo de hacer.

Los D en las relaciones personales

Con un **D** - Es una relación personal dinámica. ¡Hacen muchas diferentes cosas juntas y usualmente son atraídos mutuamente porque a ambos les gusta completar las cosas!

Con un **I** - Es una relación personal emocionante. Estas dos personas de ritmo acelerado buscan retos estimulantes que pueden experimentar.

Es una relación más difícil por sus estilos opuestos. El **S** puede ofrecer estabilidad y calidez al **D**. El **S** también es una ayuda práctica para el **D**.

Con un **C** - Es una relación personal muy difícil, porque ambos desean culminar las tareas. ¡Los **D** quieren tomar riesgos y hacer adecuaciones sobre la marcha, mientras **C** desea acatarse a las reglas y hacer un plan antes de comenzar! Dado que ambas perspectivas son de valor, pueden aprender mucho de cada uno.

Los D en las relaciones profesionales

Con un **D** - Esta es una relación profesional competitiva. Si tienen áreas separadas de control pueden trabajar juntos de manera efectiva y se respetarán mutuamente por los trabajos que hacen.

Con un **I** - Esta es una relación profesional difícil porque los hábitos laborales de los dos chocan. Cuando se trata de persuadir a otros, el **I** puede dotar al **D** de un enfoque más amistoso.

 Es una relación profesional excelente si el **D** es el compañero de trabajo o supervisor, porque al **D** le encanta empezar un proyecto y al **S** le encanta terminarlo!

 Con un **C** - Esta es una relación profesional manejable. Ambos traen distintas habilidades a un proyecto, y ambos se centran en la tarea. Deberán negociar fechas de entrega y expectativas de calidad.

Combinaciones- con el tipo Inspirador

El **I** alto por naturaleza hace que la relación sea muy divertida. ¡Las conversaciones con el tipo Inspirador son estimulantes, porque los **I** son tan expresivos y llenos de vida! Como un **I** **alto**, me encanta ir a almorzar cada día con otro compañero de oficina distinto. Trato de hacer del almuerzo algo especial y divertido, con una conversación interesante. El entusiasmo del tipo **I** es contagioso, y todos pasan un buen rato, sea cual sea la actividad.

La vida está en cambio constante, y los **I** altos aceptan el cambio con gusto. Saben que la vida está llena de sorpresas y cosas emocionantes por hacer. Y con ellos, uno siempre estará haciendo algo emocionante. Atraen a la gente por naturaleza, por cuanto pocas veces estará a solas con un **I** alto. Los del tipo **I** son realmente impresionantes frente a un grupo, donde podemos ver y respetar su capacidad de entretener y persuadir a los demás.

Para las personas Inspiradoras, una buena relación es aquella en que están libres de un horario fijo y de la responsabilidad por los detalles.

Realmente disfrutan de la flexibilidad y más que a cualquier otro tipo, les encantan las sorpresas. Les gusta el reconocimiento social y adoran ser populares con muchas personas. Adoran ser la estrella del espectáculo, y en especial, quieren ser una estrella para usted. Pueden decir las cosas más maravillosas y quieren la libertad para decirle cómo se sienten acerca de casi cualquier cosa. El I le hace sentir que es su mejor amigo, y usted el suyo.

Los I esperan flexibilidad en los demás. Lo que para usted es una cita programa, ¡para ellos es un arreglo tentativo! Por naturaleza, lo evalúan en base a sus destrezas verbales, y les atrae la gente que presenta bien sus ideas y también sus personas. Normalmente, las amistades personales les proveen enfoque, estabilidad o la pericia en un área de interés para ellos. Les interesa trabajar con personas quienes hacen las partes del trabajo que ellos considerar ser aburridos.

Los I en relaciones personales

I ⬌ D   Con un **D** - Es una relación personal emocionante. Sus retos de ritmo acelerado son estimulados por la pura diversión.

I ⬌ I   Con un **I** - Es una relación personal increíble. Estas dos estrellas hacen de la vida una gran fiesta sorpresa.

I ⬌ S   Con un **S** - Es una relación personal cómoda, dado su mutuo amor por la gente. El I puede brindarle al **S** expresividad y confianza. El I tiene una naturaleza extrovertida que le permite al **S** sentirse cómodo cuando prueba cosas nuevas.

Con un **C** - Es una relación personal muy difícil por sus estilos opuestos. El **I** ofrece al **C** emoción y diversión, mientras que el **C** trata de preservar la estructura y consistencia. Ya que las dos perspectivas son valiosas, ambos pueden aprender del otro.

Los I en relaciones profesionales

Con un **D** - Esta una relación profesional difícil porque tienen prioridades diferentes. Sin embargo, el **D** puede dar al **I** el centro necesario para alcanzar los sueños grandes que el **I alto** tiene.

Con un **I** - Esta es una relación profesional impulsiva. ¡Ambos quieren reconocimiento por el trabajo hecho, y no les gusta compartir el primer plano! ¡Si pueden ser populares juntos, se adoran, pero en su flexibilidad es posible que les puede faltar un plan lógico para terminar el trabajo!

Con un **S** - Es una relación profesional excelente. Los **I** gustan de crear sueños, y los **S**, les ayudan a poner el sueño en la práctica.

Con un **C** - Esta es una relación profesional que puede manejarse. Juegan diferentes papeles en un proyecto, y ambos papeles son vitales. Uno crea, y el otro improvisa. Ambos adoran trabajar con ideas, conceptos y teorías.

Combinaciones– con el tipo Sustentador

El **S alto** es, por naturaleza, sustentador en una relación. Los **S** son relajados y están dispuestos a hacer lo que uno necesite. Son como anclas. Simplemente se quedan en un sólo lugar, para estar allí listos cuando uno acude a ellos en busca de ayuda o compañía. Yo dependo muchísimo de Carl Smith, nuestro Director de Entrenamiento en Personality Insights de estilo **S alto**, para hacer sentir a la gente cómoda en nuestras conferencias. Las personas se sienten naturalmente atraídas a él, y gozan de su compañía.

La vida está en cambio constante, pero los del tipo **S** siguen iguales. Ya que son pacientes con los demás, los **S** tienen en cuenta sus errores y le perdonan sus faltas humanas. ¿Y quién no comete errores? Son leales y perseveran. Desarrollan relaciones profundas y de largo plazo con miembros de su familia y unos pocos amigos muy allegados. Por naturaleza, piensan en lo que pudo haber pasado y dan al otro el beneficio de la duda. Respetamos su confiabilidad y dependemos de su lealtad para ayudarnos a sobrellevar los momentos difíciles de la vida.

Para una persona de estilo Sustentador, una buena relación está basada en un aprecio mutuo sincero. Las palabras bondadosas de aprecio salen de un **S** fácilmente, y en cambio necesitan su agradecimiento. Están más cómodos dentro de los linderos trazados por la rutina, ya que a ellos les gusta quedarse con lo que saben que funciona. Parece que simplemente gozan de estar con usted. Probablemente, su relación se centrará en hacer las cosas que a usted le gusta, siempre y cuando no los obligue a hacer algo nuevo o demasiado riesgoso cuando están solos. Están más contentos y relajados dentro de la estabilidad de la familia y el hogar. Quizás más que cualquier otro tipo, protegerán la armonía familiar. Trabajan mejor en situaciones donde se les permite tiempo para adaptarse al cambio, porque desean sentirse cómodos con lo que va a suceder. Asimismo, quieren asegurarse que pueden esperarse resultados previsibles y que todos están preparados para adaptarse. Con esta seguridad establecida, ¡sentirá la fortaleza de su apoyo!

Los **S** esperan simpatía de los demás. En realidad, ¡no se disfrutan de los desacuerdos o palabras sarcásticas! Por naturaleza, lo evalúan por su constancia, y les atrae la gente honesta y no pretenciosa. Las amistades personales usualmente les proveen introducciones, participación o pericia en área de interés para ellos. Les interesa trabajar con personas que tomarán el riesgo de iniciar el trabajo y luego van a depender de ellos para ayudar con la rutina.

Los **S** en las relaciones personales

S ⟷ **D**   Con un **D** - Es una relación personal más difícil por sus estilos opuestos. El **D** puede brindarle al **S** determinación e iniciativa. El **D** también es un director práctico para el **S**.

S ⟷ **I**   Con un **I** - Es una relación personal cómoda dado su mutuo amor por las personas. El **S** puede ofrecer al **I** estabilidad y apoyo. El **S** aprecia por naturaleza lo cual ayuda al **I** a sentir aprobación para tratar algo nuevo.

S ⟷ **S**   Con un **S** - Es una relación personal fácil porque ambos son leales y se dan apoyo. Les encanta estar juntos y buscan armonía por encima de cualquier cosa.

S ⟷ **C**   Con un **C** - Es una relación formal pero personal. Ellos respetan los derechos y la privacidad de la otra persona. No importunan al otro. El **S** extiende bondad, lealtad y aceptación al **C** de tal modo que el **C** puede respetar y recibir respeto.

Los **S** en las relaciones profesionales

S ◀▶ D Con un **D** - Es una relación profesional funcional cuando el **S** es el supervisor, pero sólo si el **D** respeta la autoridad y forma en que toma decisiones hechas el supervisor de estilo **S**. El **S** puede ser un supervisor paciente y práctico para el **D**, quien puede beneficiarse de la experiencia del **S**.

S ◀▶ I Es una excelente relación profesional. El **S** es paciente con el impulsivo **I**, quien adora involucrar al **S** en cualquier actividad.

S ◀▶ S Con un **S** - Es una relación profesional constante. Por naturaleza siguen una rutina práctica y desarrollan una relación de trabajo amistosa. Terminarán la tarea con trabajo en equipo y cooperación.

S ◀▶ C Con un **C** - Es una relación profesional formal con cara amigable. El **S** usará las teorías y el análisis del **C** para proveer procedimientos rutinarios. Esto garantizará rendimiento y productos de calidad constante.

Combinaciones – con el Tipo Cauteloso

Los **C** altos por naturaleza desempeñan su papel en la relación a plenitud. En cada cosa que hacen, siguen las instrucciones. Esto incluye el entender y conservar su papel con usted. Quieren entender las expectativas que tiene usted. Los **C** trabajarán sin descanso para satisfacer sus propias expectativas y papel en su relación. Con frecuencia le harán preguntas a usted, verificando la precisión en los requisitos de ellos y los suyos. "¿Necesita que le repase esta información una vez más antes de que se vaya a prensa?" es una pregunta común de nuestra redactora de libros Beth McLendon, cuyo estilo es **C alto**. Como ve, ella está verificando si ella ha completado su función de preparar nuestros materiales para ser impresos. ¡Dependemos de su atención al detalle para producir productos de calidad que darán a nuestros clientes el mejor valor!

La vida está en constante cambio, y los **C altos** se protegen de cambios bruscos o impulsivos. Quieren disminuir los riesgos que implica el cambio, mediante el desarrollo de directrices para teorías no probadas. Ellos experimentarán para confirmar la precisión y validarán su información con expertos para asegurarse de los hechos. Respetamos su capacidad especializada. Nos beneficiamos de su experiencia y su fría lógica para ayudarnos a resolver los dilemas en cualquier situación.

Para una persona de estilo Cauteloso, una buena relación es aquella donde cumple su propio papel y tiene un entendimiento cortés con la otra persona. Los **C** quieren confirmación de los hechos sin emociones ilógicas ó impulsivas que tener que manejar. Su relación probablemente se centrará en hacer cosas relacionadas a un área de interés mutuo o un campo de estudio. Les gusta ser parte de un grupo o club. Les encanta mucho la excelencia en trabajos artísticos o artesanales, tanto como observadores o como participantes. Pueden pasar horas analizando una idea, un trabajo de arte o un diseño. ¡Son personas intensivamente únicas, y sentirá la fortaleza de su búsqueda por la excelencia!

Los **C** esperan que todos jueguen según las reglas. ¡También esperan que uno viva bajo normas precisas, al igual que ellos esperen vivir bajo normas precisas! Por naturaleza lo evaluarán en base a la precisión que conserva, y se sienten atraídos por personas que hacen las cosas con excelencia. Las amistades personales normalmente les proveen retos, participación o aceptación. Están interesados en trabajar con personas que les permitan expresar y desarrollar su capacidad especializada.

Los C en las relaciones personales

 Con un **D** – Es una relación personal muy difícil porque ambos quieren completar la tarea. El **C** requiere minuciosidad, excelencia y precisión, mientras que el **D** exige iniciativa y riesgo para alcanzar aventura y ambición. Dado que las dos perspectivas son de mucho valor, ambos pueden aprender del otro.

 Con un **I** - Es una relación personal muy difícil porque tienen estilos opuestos. El **C** piensa en reglas y papeles en la relación, mientras que el **I** desea sentir emoción en una relación donde hay libertad para explorar el mundo y expresar sus sentimientos. Dado que las dos perspectivas son valiosas ambos pueden aprender del otro.

 Con un **S** - Es una relación formal pero personal. Respetan los derechos y la privacidad de la otra persona. No importunan al otro. El **C** reconoce la previsibilidad y agradece la paciencia del **S**. Este le brinda seguridad al **S** en una forma que puede aceptar y respetar.

 Con un **C** - Es una relación formal. Ambos se cuidan de entender y desempeñar su papel en esta relación personal. Dada su sensibilidad, pueden aprender a satisfacer las necesidades del otro y trabajarán en la relación para mejorarla continuamente.

Los C en las relaciones profesionales

 Con un **D** - Es una relación profesional manejable. Traen distintas habilidades a un proyecto, y ambos se concentran en la tarea. Necesitarán negociar la responsabilidad y el rendimiento de cuentas.

 Con un **I** - Es una relación profesional manejable. Juegan distintos papeles en un proyecto, y ambos papeles son vitales. El **C** establece la validez de datos firmes y fríos, y el I expresa sentimientos que relacionan estos hechos con las personas. El I es inspirado por una intuición. El **C** describe, define y valida una teoría que generaliza la intuición y la hace útil para los otros.

 Con un **S** - Esta es una relación profesional amable con funciones definidas. El **S** proveerá la sensibilidad para con las personas, mientras que el **C** proveerá información precisa y especializada. Esto garantizará resultados positivos. Juntos, proveerán productos y servicios de calidad. En pocas palabras, lo que ellos hacen funcionará fácilmente y estará en lo correcto cada vez.

 Con un **C** - Esta es una relación profesional responsable. Toman con mucha seriedad sus funciones y requieren normas altas similares. A menudo desarrollarán distintas áreas de pericia y trabajarán muy bien juntos en proyectos donde cada uno pueda validar el trabajo del otro.

Buenas combinaciones y haciendo buenas las combinaciones.

A medida que ha leído cada una de estas secciones sobre los tipos **DISC** en combinaciones, ha encontrado algunas combinaciones que por naturaleza son fáciles, mientras otras son más difíciles de manejar.

Todos tenemos algunas relaciones que por lo general son fáciles todo el tiempo; estas son buenas combinaciones para nosotros. También tenemos otras relaciones que requieren de mucho trabajo la mayoría del tiempo para hacerlas buenas relaciones. Esto es lo que nosotros llamamos hacer combinaciones buenas. Podemos hacer casi cualquier relación buena, si buscamos entenderlos mutuamente, reconocer nuestras propias necesidades y aprender a satisfacer las necesidades del otro.

¡El entender su propio estilo de personalidad, con sus fortalezas y debilidades, y el ser consciente del estilo de otra persona, con sus fortalezas y debilidades y debilidades que le dan una combinación única en la relación, lo habilita para acrecentar sus probabilidades para tener una gran relación! ¡Usted esta dando grandes pasos para elevar su **Coeficiente de Personalidad CP**!

Capítulo 9

Adaptando su estilo

CP Tercero Paso

Conciencia y entendimiento para mejores
relaciones

A medida que toma conciencia del estilo de personalidad de otra persona, empezará a ver sus diferencias con otros ojos. Paso tres: el Adaptar Su Estilo para *Crear Mejores Relaciones* significa entender su conciencia de la otra persona para entender sus necesidades. Puede empezar a practicar su capacidad de comunicarse efectivamente y actuar con inteligencia, adaptando sus palabras y acciones al estilo de la otra persona para así poder satisfacer las necesidades de esa persona. Para hacerlo sencillo, esto significa que, en lugar de darle a otra persona lo que usted necesita, le da lo que esa persona necesita, a fin de poderse comunicar mejor. También se conoce como la Regla de Platino. La Regla de Oro dice, "Trate a los demás como usted quiere que le traten." Sin embargo, la Regla de Platino dice, "Trate a los demás de la forma en que realmente necesitan que les traten." En otras palabras, la Regla de Platino es más cuestión de tratar a los demás de la forma en que ellos desean y necesitan que se les traten, y no la forma en que usted quiere que le traten - sin ser falsos ó deshonestos.

Un ejemplo personal

¿Cómo hacemos esto mi asistente administrativa, Cindy, y yo? Cuando Cindy se reúne conmigo para trabajar en un proyecto, trato de acordarme de darle suficiente tiempo para hablar de lo que está pasando en esos momentos - especialmente en lo relacionando con todo su trabajo. La doy mi atención y la escucho detenidamente mientras estudiamos dónde vamos en nuestro trabajo. Ya que ella tiene tanto por hacer, trato de ayudarla a establecer un ritmo para su trabajo, preguntándola cómo proseguir en los proyectos del momento. Esta flexibilidad le ofrece la libertad que necesita para concentrarse en los proyectos y trabajo urgentes y a la vez la anima a comunicar sus propias ideas sobre los proyectos actuales. Hacemos espacio para las necesidades del otro. Esto nos permite a cada uno estar cómodos y abiertos a comunicarnos y trabajar juntos. Esto suena amistoso y cordial, y lo es!

La adaptación de nuestros estilos es aún más importante cuando sentimos que ¡la otra persona nos está volviendo loco! Requiere un entendimiento de nuestros diferentes estilos de personalidad y ejercicio de más autocontrol a través de decisiones inteligentes. ¡Debemos *pensar* antes de *actuar*!

Cuando nuestro Redactor de Planta, Jim Benton, un **D alto**, nos exige redactar un proyecto de forma constantemente correcta, a menudo me siento algo incómodo. Como **I alto**, a veces me puede dar ganas de contar algo chistoso para relajar el ambiente, pero no la hago. Más bien, respiro profundo y ofrezco otra opción para el texto que los dos sentimos ser correcta. Doy lugar a su exigencia de que sea correcto porque respeto su capacidad de producir claridad concisa. A veces mi estilo **I alto** me distrae de meterme en el proyecto pero Jim, con su estilo **D alto**, me ayuda a seguir concentrado. El no se irrita ni me empieza a empujar. Elige recordar que a veces un **I alto** se entretiene contando anécdotas o conversando con un amigo en el almuerzo. Si me desvío, Jim busca otro proyecto para ocuparse hasta que yo regrese. Jim valora mis anécdotas y destrezas de conversación. Entiende que me ayudan a entretener mientras explico la información **DISC** en seminarios y en nuestros materiales de recurso. Jim sabe que estas habilidades son la razón por que nuestros recursos son tan populares y efectivos.

Reconocemos que las barreras la interacción efectiva surgen naturalmente debido a nuestras perspectivas distintas. Podemos acabar con las barreras y tender puentes de entendimiento cuando valoramos a la otra persona, nuestra relación y las diferentes perspectivas. Esta es la base real del Paso Tres. Si usted es orientado hacia la tarea, debe buscar valor en las personas. Si es orientado hacia las personas, debe recordar lo importante que es completar su tarea. Esté atento al bien que resulta cuando una persona Extrovertida le tiende la mano. Note la importancia de una manera Reservada cuando se descubren y corrigen errores. Será más fácil adaptar su estilo para gozar de mejores relaciones cuando realmente puede apreciar, entender y valorar una perspectiva distinta a la suya.

Patrones previsibles en lugar de casillas de personalidad

El Psicólogo Alfred Adler dijo: "No es que yo ponga a las personas en casillas; sino que los sigo encontrando ahí." No tiene ningún sentido poner a una persona en una casilla de personalidades, porque cada uno tiene algunas características de cada uno de los cuatro estilos de personalidad. La gente también tiene el poder de la autoconciencia. Tiene la capacidad de decidir sobre cómo responder en un ambiente o cómo llevar una relación. Pero el Descubrimiento de su tipo predominante nos puede realmente ayudar a concentrarnos en:

Apreciar la perspectiva de su personalidad

Satisfacer discretamente sus necesidades de estilo de personalidad.

Preparar sus pensamientos y sentimientos para poderse relacionar con la otra persona

Rápidamente romper las barreras y tender puentes de comunicación entre nosotros.

Tender puentes según su mezcla de estilos de personalidad

Jim Benton, (**D** alto) y yo (**I** alto) tenemos una relación profesional que describimos anteriormente como un tanto retadora. Jim es orientado hacia la tarea y yo hacia la gente. Sin embargo, lo hacemos funcionar, tendiendo puentes de comunicación. ¿Cómo podemos hacer esto? Uno de nuestros secretos se radica en el tipo secundario de nuestras mezclas de estilo. Jim tiene un **C** alto en su mezcla de estilos, pero también tiene suficiente **I** como para ser un poco travieso. Esto quiere decir que puede ser flexible cuando se relaciona conmigo, porque disfruta de lo divertido que pasamos. Por mi parte, también tengo el **S** por encima de la línea media. Esto significa que puedo ser sensible ante la necesidad de Jim de recibir apoyo mientras trabaja para alcanzar nuestras metas. Estos tipos más flexibles en cada uno de nuestros estilos nos ayudan a tender puentes de entendimiento y aprecio. ¡Puede ver cómo se pueden complicar rápidamente las relaciones personales! Una consciencia de las tendencias que hay en sus mezclas de estilo le puede dar el entendimiento que necesita cuando toma decisiones para formar mejores relaciones.

Suposiciones y expectativas

Aún cuando hacemos todo lo que podemos por tomar buenas decisiones en nuestras relaciones, hay momentos cuando parece que hacemos todo mal. Lastimamos a nuestros seres allegados, aún cuando tenemos las mejores intenciones. A menudo, el secreto de este problema está en las suposiciones y expectativas que traemos a una relación. Cuando suponemos que una persona piensa o siente de la misma manera que nosotros, a menudo nos sorprende descubrir que no es así. No debemos desanimarnos por estas diferencias. Ruth Bell Graham, cuando le preguntaron si ella y su esposo, Billy Graham, tenían personalidades similares, respondió, "Por supuesto que no – no soy como él en absoluto. Pero después de todo, si dos personas son totalmente iguales.... todo el tiempo.... en cuanto a todo.... ¡uno de los dos no es necesario!" ¡Qué perspicacia, el esperar que hayan diferencias!

Protección de una relación

Una de las diferencias entre las personalidades que a menudo causa dolor en nuestras relaciones es nuestros temores naturales. Esta es un área donde la otra persona lo puede empujar fuera de control o poner una barrera entre los dos. Cuando uno protege a la otra persona estando sensible a sus temores, puede tender un puente hacia una mejor relación. El simple acto de sacar a luz la vulnerabilidad de otra persona puede establecer una barrera que sólo debilita o destruye una relación. ¡Necesitamos entender los temores de los demás, para así poder proteger nuestras relaciones!

Descubrir nuestros temores

Temor secreto...

D   ... que alguien se aproveche de uno.

I   ... la pérdida de reconocimiento social.

S   ... cambio; confrontación.

C   ... actos irracionales; lo desconocido o lo incierto.

Los **D** altos se concentran en alcanzar sus metas y superar los obstáculos. Sin embargo, abandonarán una relación o interacción que se aprovecha de él. ¡Quieren ganar *junto* con usted, pero si perciben que usted está aprovechando su poder o los está usando para sus propios fines, ¡reorientarán sus esfuerzos para hacerle a usted perder! Luego reaccionarán con furia. Si no lo pueden hacer perder, harán lo quiera para desquitarse, y a menudo simplemente abandonan la relación por completo.

Los **I** altos sienten que no hay nada peor que pasar vergüenza pública. Temen perder el reconocimiento social y la popularidad. Si los hace quedar mal ante de un grupo, pueden reaccionar de forma exagerada con una avalancha de emociones que buscan echar la culpa a otra persona por la vergüenza o para hacerle a usted quedar ridículo. En un momento de enojo puede usar palabras hirientes que afecten la relación profundamente.

Los **S** altos evaden la confrontación a cualquier costo. Si los sorprende con cambios inmediatos, se han de sentir amenazados y vulnerables, pero usualmente reserva y oculta esos sentimientos. En lugar de reaccionar a usted, simplemente se apagan y pueden buscar escapar con el sueño excesivo. Debajo de su indiferencia superficial, pueden poner una gran barrera de resentimiento que es difícil de revelar. Esos sentimientos pueden asfixiar su relación.

Los **C** altos piensan que los actos irracionales son indicios de una persona sin principios. Para ellos, los principios son vitales, por tanto pueden insistir en una explicación que sea seguida por un comportamiento más racional de parte de usted. Mantienen sus sentimientos bajo control. Cualquier indicación de antagonismo de parte suya los hará alejarse de usted. Quizás no pidan una segunda explicación, sino más bien se protegerán a sí mismos, pasando tiempo a solas y formando una pared fría e invisible entre los dos. Esta barrera de hielo puede congelar una verdadera relación entre ustedes.

Una mejor respuesta a la tensión

¿Cómo podemos evitar estas barreras difíciles y a veces fatales en la relación? ¿Cómo podemos proteger a nuestros seres queridos y a quienes trabajan con nosotros? Primero, podemos aprender a adaptarnos a los estilos de otros y proteger a los demás, estando sensibles a sus temores. Luego, podemos tender puentes hacia relaciones más fuertes. Cuando estamos conscientes de nuestras reacciones de temor, podemos hacer lo necesario para recobrarnos y elegir actuar de una manera más efectiva. La ira es una reacción común de temor que realmente llama nuestra atención. Necesitamos descubrir el temor o dolor que por lo usual está escondido tras la ira. La mayoría de los **D altos** saben que cuando se estresan y luego se enojan, deben buscar para hacer que no tenga nada que ver con la causa de su molestia. Asimismo, si una persona tiene bastante del estilo **C**, le dará tiempo para reflexionar sobre lo que hay detrás de la ira. Después, normalmente, la persona puede entender la situación, recobrar el control, y determinar un plan de acción para resolver del problema. ¡Esto es más efectivo que la reacción natural de destrozar a alguien con palabras hostiles!

Actividades que necesitan los tipos **DISC** para recuperarse del estrés.

Los **D** altos necesitan actividad física para recuperarse del estrés. Esto puede ser en forma de caminata o de hacer ejercicio con algún deporte favorito. Puede también ser algún trabajo totalmente distinto al de su trabajo diario – como organizar el garaje o limpiar el ático. Muchos del tipo **D** eligen trabajar en el jardín o en el patio para deshacerse del estrés o tensión.

Los **I** altos necesitan de actividades sociales para ayudarlos a recuperar del estrés. Puede ser en forma de salir con amigos a cenar o ir al cine. Puede también ser simplemente cuestión de llamar a un amigo por teléfono y desahogarse. ¡Por ejemplo, a mi me gusta salir en mi convertible rojo, a almorzar con diferentes colaboradores de la oficina. ¡Me hace sentir que estamos avanzando mientras hablamos! ¡Cada día parece que hay una nueva aventura en nuestra oficina!

Los **S** altos necesitan actividades no dirigidas para recuperar del estrés. Esto puede ser tareas triviales en la casa o ver una película que han visto una y otra vez. Carl Smith, Director de nuestro Programa de Entrenamiento, tiene varias películas favoritas. Explica que se siente mejor cuando ve una final feliz. Se siente aliviado y entonces restaurado. Para otro **S**, puede ser cuestión de sentarse en la casa sin hacer nada concreto.

Mark Wagnon es nuestro Especialista de Atención a Consultores, y es un tipo **S** alto. Alivia su estrés con un largo paseo en su motocicleta. Dice Mark, "No hay estructura cuando manejo mi motocicleta. El simple hecho de estar bajo el sol y viento me ayuda a sentir calmado y en paz. Cuando estoy en mi motocicleta con otros motociclistas, nos sentimos en familia. Siempre nos saludamos con la mano y tenemos una sensación de conexión cuando salimos. (Cuando escuché a Mark dar esta explicación, me sorprendió. No es lo que me imaginaba que pensaban los motociclistas. Pero después me di cuenta que mi imagen mental de la mayoría de los motociclistas era la de un grupo de "Ángeles del Infierno"... ¡definitivamente no un grupo de personas de tipo **S alto**!

Los **C** altos necesitan de una actividad cognitiva para recuperar del estrés. Puede significar leer una revista o un cuento. También puede ser armar un rompecabezas o jugar a solitario. ¡Conozco a un genio en la matemática de tipo **C alto** a quien le gusta hacer problemas de cálculo para relajarse!

Cualquiera que sea su estilo, busque una actividad que le ayuda a relajarse. Asegúrese de que sea una que puede hacer fácilmente cuandoquiera la necesite. Puede que le guste relajarse en un velero, pero si vive demasiado lejos del mar o un lado, quizás tendrá que buscar otra forma de relajarse. ¡Todos podemos aprender a perdonarnos más a nosotros mismos y a los demás cuando estamos estresados!

Reforzar nuestras relaciones

No importa cuánto nos importa o cuánto nos esforzamos, hay momentos en cada relación en que necesitamos reforzar nuestra relación y dar el regalo de ánimo, del uno al otro. Las relaciones seguras hacen que nuestros días sean satisfactorios y nuestras vidas significativas. Todos queremos hacer de nuestro mundo un lugar mejor. Podemos animar a los demás con palabras y acciones, y podemos descubrir cómo darles a los demás lo que necesitan ellos, y no lo que necesitamos nosotros, como aliento.

Los **D** reciben palabras alentadoras que son directas y al grano. Use un tono firme y confiado, y sea breve. Hágales saber cómo resolvieron un problema importante. Infórmeles cómo los resultados que obtuvieron cumplieron una necesidad importante. Prémielos por alcanzar sus metas, con un regalo relacionado con su logro, o con algo que usted sepa que realmente desean. Si usted tiene el poder de hacerlo, dales autoridad adecuada para reforzar la responsabilidad que tienen. Reconozca su liderazgo dinámico si tienen autoridad sobre de usted. De esta forma puede alentarles y fortalecer su relación positiva con ellos.

Los **I** reciben palabras alentadoras que son amistosas, positivas e informales. Use un tono emocionado, y no tema expresarles sus sentimientos. Déjeles saber cuán impresionado está. Dígales quien más reconoció el significado de lo que hicieron. Y dígales cómo lo que hicieron fortaleció su relación con ellos. Felicíteles o déles una sonrisa o un abrazo apropiado. Se animarán con su toque o cercanía. Si tiene la autoridad para hacerlo, fomente su responsabilidad con el reconocimiento público apropiado. Anime su liderazgo inspirador, hablando bien de ellos a otras personas en sus círculos comunes de influencia. De esta forma, puede alentarlos y reforzar su relación positiva con ellos.

Los del tipo **S** reciben palabras de ánimo que son sinceras, bondadosas y personales. Use un tono relajado y suave, y sea amigable. Hágales saber cuán satisfecho está usted. Dígales cómo realmente lo ayudaron y fortalecieron la relación que tiene con ellos. Déles un recuerdo sentimental u ofrezca prestarles algún servicio pequeño que le costaría poco a usted pero sería significativo y satisfactorio para ellos. Se animarán con su acto de servicio, especialmente si no se les da delante de los demás. Si su relación con ellos lo permite, refuerce la responsabilid que tienen, tomando en cuenta las necesidades de su familia. También puede ofrecerles su aceptación personal, no verbal, y garantías. Agradece su liderazgo servicial con apoyo silencioso. De esta forma, usted puede animar y reforzar su relación positiva con ellos.

Los **C** altos reciben palabras de ánimo precisas y no emocionales. Use un tono paciente pero persistente, ya que podrán corregir su evaluación de su trabajo o rechazar su elogio a su persona. Hágales saber lo serio que es usted. Específicamente dígales qué tan importante cree que fue su contribución para usted y para la relación que tiene con ellos. Déles su atención, planeando e invitándolos a una cena placentera o una película excelente. Se animarán cuando pasa momentos de calidad con ellos. Refuerce su responsabilidad, ampliando su papel, si es posible. Escríbales una carta con palabras muy bien escogidas que hacen nota de su liderazgo y ejemplo responsables. De esta forma, puede animarlos y reforzar su relación positiva con ellos.

Fortaleciendo su Relación

El modelo **DISC** no es una fórmula científica, son patrones de comportamiento. Sus intenciones y esfuerzos en aplicar esta información harán muchísimo en quebrar barreras y construir puentes que fortalecerán sus relaciones. A medida que su concientización crece, el entendimiento de sus acciones y actitudes en sus relaciones se hace más claro. A medida que enfoca sus atenciones en otras personas, podrá aprender sobre sus temores y necesidades y en cómo animarlos en su estilo. Estará usted construyendo una fundación fuerte para fortalecer sus relaciones. Fíjete en tu **CP**, porque ahora sabemos que...

Tú Tienes Estilo!

Capítulo 10

Formación
de mejores equipos

CP CUARTO PASO

Conciencia y entendimiento para el
trabajo en equipo

A medida que comenzamos el siglo XXI, la tecnología ha disuelto la distancia que ponía barreras a la comunicación. Podemos usar el correo electrónico en cualquier lugar del mundo. Podemos explorar más información en Internet de lo que la mayoría de la gente de antaño exploró en toda su vida. Al mismo tiempo, la tecnología ha incrementado las barreras a una comunicación efectiva. Hay algo especial de ver a la persona de cara a cara, escuchar una respuesta, y hablar con alguien en persona, que nuestra tecnología moderna simplemente no puede simular. ¿Se acuerda la última vez que llamó por teléfono y le contestó una máquina contestadora? No importa cuánto haya tratado la voz de la máquina de comunicarse con usted, no es igual hablar con una máquina que con una persona, *¡en persona!*

La tecnología es una gran herramienta que podemos usar, pero todavía necesitamos el contacto personal, una interacción personal exitosa y una relación individual. Puede que nos encante la alta tecnología, pero todavía necesitamos el toque personal.

Bien, quizás piense que toda esta comunicación rápida nos de más tiempo para nuestras relaciones personales, pero la verdad es que es al contrario. El tiempo es algo muy distinto para nosotros de lo fue para nuestros abuelos. Aunque las relaciones son tan valiosas para nosotros como lo fueron para nuestros abuelos, solemos vernos menos. Para ahorrar tiempo usamos formas de comunicación instantánea que no requieren de nuestra presencia física. A medida incrementa el ritmo de nuestras vidas personales y los negocios aumentan su uso de la electrónica, debemos desarrollar más habilidad en el fomento de nuestra habilidad de tratar a la gente. El tiempo que dedicamos al desarrollo de relaciones personales y comerciales debe usarse de la manera más efectiva.

Las relaciones son importantes para cada uno de nosotros, porque somos humanos y queremos que nuestras vidas tengan significado. Queremos la seguridad de relaciones familiares, en las que nos alentamos mutuamente a crecer y gozar juntos de la vida. De igual manera, queremos trabajar juntos y tener éxito. En nuestras vidas personales y profesionales, queremos la satisfacción de jugar un papel en algo más grande que nosotros. Encontramos esto a través de nuestra fe en Dios, en nosotros mismos y en la gente a quien amamos. Encontramos esto en nuestras relaciones con otros y en lo que hacemos. A veces encontramos que el trabajo conjunto en grupo da mejores resultados. Este grupo se convierte en equipo, y nace una relación especial entre un *equipo* verdadero.

Se forma un equipo verdadero cuando dos o más personas interactúan libremente y de manera personal para alcanzar algo juntos. La interacción libre significa que los miembros del equipo se aceptan, los unos a los otros, y se sienten cómodos estando juntos. Se sienten seguros y por tanto no filtran o protegen su contribución. Interactúan de forma personal, sabiendo que los demás miembros del equipo no los atacarán porque cada persona del grupo valora su contribución. Dentro del marco de esta interacción, la sinergia del equipo logra algo más grande que lo que cualquier miembro del equipo pudiera hacer a solas. De esta forma, ¡ *Juntos, Cada Uno Logra Más!*

Sea en nuestra familia o en un grupo de trabajo, queremos hallar la magia que hubo cuando nos convertimos en un equipo. Un equipo es un grupo de jugadores que trabajan juntos para crear algo más grande de lo que alguno de ellos solo pudiese crear. Ese algo, sea un ambiente para el desarrollo individual de los miembros del equipo o un producto tangible, viene como resultado del *trabajo en equipo*.

El trabajo en equipo familiar crea cierto ambiente y es una experiencia que cambia la vida. Produce personas en crecimiento que gozan relaciones personales saludables. Su vida no sería igual si tuviese otro padre o madre distinta. Es probable que sus hermanos hayan impactado su vida. Piense, por un momento, en su familia. Ahora, trate de imaginarse cómo hubiese sido su familia de quitarse uno de los miembros. Si escogió el miembro de su familia que menos prefiere, quizás piense, "¡Genial! ¡Me encantaría estar sin él!"

¡Por otra parte, si escogió la persona más allegada a usted, puede preguntaría ¡cómo hubiese vivido sin esa persona! En cualquiera de los casos, ¡puede ver cómo cada persona hace una contribución única en la familia! Su familia es el primer equipo al que perteneció usted, porque ¡usted nació como parte de ella!

Otros equipos van y vienen a lo largo de la vida. ¿Se acuerda del campamento de verano de su niñez? Ha de recordar fácilmente la relación tan estrecha que se formó entre sus compañeros de cabaña y como se convirtieron en equipo. Jugaron y trabajaron juntos, y cuando terminó el campamento, su vida no volvió a ser la misma. Las cosas cambiaron. Usted cambió. Pero si pudiese hacerlo, le encantaría volver a ese equipo especial. Como adulto, quizás ha trabajado en distintos equipos. El trabajo en equipo, en un proyecto profesional, crea un ambiente que produce bienes y servicios que mejoran la calidad de vida de cada uno. A menudo, un equipo tiene éxito cuando las partes individuales, o las personas individuales hubiesen fallado. ¡Es una experiencia especial, y nos encanta ver los resultados!

En cualquier clase de equipo, bien sea familiar o de trabajo, los diferentes tipos de personalidad contribuyen al equipo de forma distinta. A medida tomamos conciencia de nuestra propia perspectiva y reconocemos las perspectivas de otras personas en el equipo, nos aprendemos a respetar mutuamente y a trabajar juntos para satisfacer los requisitos laborales del equipo. Esto incluye satisfacer las necesidades individuales de cada uno de los miembros del equipo, así como alcanzar el equilibrio a través de las contribuciones de cada persona involucrada. Esta es la base para el Cuarto Paso del CP: *Formación de Mejores Equipos.*

Fijación de metas

De Desafíos	De Corto Plazo
De Largo Plazo	A Ritmo Constante

Fijación de metas

El trabajo en equipo usualmente empieza con la fijación de las metas del equipo, por tanto, comenzaremos con la conciencia de las diferencias en nuestra forma de establecer *las metas.*

Nuestra sociedad de hoy pone énfasis en la fijación de metas y nos puede ser muy fácil fijar metas. ¡Lo que puede presentar un reto es el alcanzar la meta! En el tiro con arco, el blanco es inmenso en comparación con el pequeño centro. Cualquiera puede ver el pequeño ojo del centro, pero es el entendimiento y desarrollo de sus habilidades es lo que le permite acertar ese centro. Todos podemos apuntar objetivos , pero a medida vamos entendiendo nuestro enfoque preferido, mejor podemos también desarrollar el tipo de estrategia que nos permita lograr las metas establecidas.

A los del tipo **D** les habilita una meta desafiante. ¡El establecer una meta muy difícil los llena de energía! Deje que otro haga la parte fácil. No les vale la pena. Les gusta establecer sus propias metas y alcanzarlas con sus propios objetivos.

Los **I** viven el momento, por tanto necesitan metas de corto plazo con resultados y recompensas inmediatas. El reconocimiento que reciben de una llamada telefónica diaria puede motivarlos más que una reunión mensual a seguir trabajando.

Sea paciente con los **S**, recordando que, "despacio y seguro se gana la carrera." Comenzarán despacio, entonces no debe empezar con metas irrealistas. Sin embargo, una vez que comienzan, ¡son muy buenos para terminar! Cuando se sienten cómodos, perseveran en la rutina hasta terminar. No se olvide de darles el reconocimiento y aliento que necesitan durante el proceso.

Los **C** planifican con cuidado. Primero planearán, y luego establecerán una meta realista con beneficios de largo plazo. Sus esfuerzos constantes los seguirá habilitando para lograr su meta. En realidad, preferirán haber considerado todos los detalles de su plan por adelantado; pero a veces, es imposible o impráctico. Si esto les deja atascados en cierto punto, puede que necesiten de la confianza suya para volver a empezar desde dónde están.

Cada miembro del equipo contribuye una perspectiva valiosa a la fijación de metas del grupo. Necesitamos la planificación a largo plazo y objetivos a corto plazo. De igual manera, necesitamos a alguien que esté dispuesto a tomar el riesgo y comenzar, así como alguien que pueda garantizar que cada miembro del equipo esté cómodo con el plan y dispuesto a contribuir en beneficio de la meta. ¡En la fijación efectiva de metas participamos todos!

Método de Tarea

A MI MANERA	DE MANERA DIVERTIDA
DE MANERA CORRECTA	DE MANERA FÁCIL

Método de tarea

Una vez que el equipo fija sus metas, cada uno abordará su tarea de diferente manera. El entender y esperar esas diferencias puede ayudar a que todos los del equipo trabajen a una, usando sus fortalezas, en lugar de trabajar por separado y luchar. Hemos visto que cada tipo tiene un método diferente de abordar las tareas.

Los **D** confían en que conquistarán la tarea. Tienden a no dudar de sí mismos. ¡Insistirán con decisión, " *Mi manera es la mejor manera de hacerlo!* "

Los **I** buscan maneras de hacer divertido el trabajo y de involucrar a la gente en todo lo que hacen. ¡Les encanta gritar, *" Esta es la manera divertida de hacer las cosas!"*

Los **S** repetirán un plan en su mente hasta que les parezca cómodo y amigable. Luego, trabajan de forma paciente, constante, hasta terminarlo. Le tocarán el brazo y dirán, *" No se preocupe. Lo podemos hacer juntos. Esta es la manera fácil de hacerlo."*

Los **C** planean su trabajo y trabajan según su plan. Dicen, *" Le puedo mostrar la manera correcta para hacerlo"*

El siguiente es un ejemplo de una persona que reconoció a una edad joven que hay diferentes métodos de tareas.

A menudo, mi padre nos asignaba a mi hermano y a mí la misma tarea, que debimos completar a una hora específica. Cuando se cumplía la hora, regresaba mi padre, y yo ya había terminado la tarea, mientras mi hermano estaba todavía planeando la manera correcta de hacerla. Yo no lo haría de la manera más fácil o correcta, pero sí lograba terminarlo. Pronto empecé a darme cuenta de que si hablaba con mi hermano (C alto) antes de comenzar, a menudo el trabajo mío (D alto) sería mucho más fácil. ¡ Yo podría usar su plan para agilizar el trabajo!

Esta persona entendió que los diferentes estilos tienen diferentes fortalezas en cuanto a su enfoque al trabajo. Aprendió a usar las fortalezas de su hermano de planificación, junto con su fortaleza de realización. De igual manera, podemos reconocer la importancia del **D** pionero de seguir adelante para completar el trabajo. Podemos disfrutar la inspiración del **I** que nos hace silbar mientras trabajamos. Podemos apreciar la adaptabilidad del **S** que encuentra una manera fácil de completar la tarea. ¡Y podemos respetar la diligencia del **C** que elabora un plan que organiza todas nuestras tareas con el fin de lograr nuestras metas!

Descubra su contribución al equipo

 ¿No le encantaría saber cómo pueden contribuir sus fortalezas al equipo, mientras todos los demás miembros del equipo hacen lo mismo? Así como un equipo de béisbol consiste de más posiciones que el lanzador, su equipo necesitará la contribución de todos cuatro tipos para ser un equipo fuerte y equilibrado. Tome un minuto para considerar estas fortalezas del equipo:

 D **I**

- Provee: AVENTURA
- Trae: DETERMINACIÓN
- Usa: CREATIVIDAD
- Acentúa: INNOVACIÓN

- Provee: IMAGINACIÓN
- Trae: INSPIRACIÓN
- Usa: EXPRESIÓN
- Acentúa: INTERACCIÓN

¡Juntos
Cada uno
Logra
Más!

- Provee: ANÁLISIS
- Trae: LÓGICA
- Usa: OBJETIVIDAD
- Acentúa: CONSISTENCIA

- Provee: ESTABILIDAD
- Trae: ARMONÍA
- Usa: COMPATIBILIDAD
- Acentúa: SEGURIDAD

 C **S**

La fortaleza del D en el equipo

Los **D** proveen aventura. Su empuje principal, el enfoque de su fortaleza para el equipo, es de dirigir y controlar los esfuerzos del equipo. Preguntan, "Y si pudiéramos hacer esto... ¡te apuesto que sí lo podríamos hecer!" Los **D** traen al equipo la determinación. Contribuyen más efectivamente como personas innovadoras que resuelven problemas que abordan los retos en cuanto se presentan. Usan la creatividad para convertir a los retos en energía dirigida hacia la meta. Los **D** altos enfatizan la innovación. Los del tipo **D** son capaces de tratar muchas actividades a la vez.

Si usted es del estilo D alto: usted es confiado y decisivo y los detalles le pueden aburrir. Como resultado, puede rápidamente cambiar un plan de acción para lograr los resultados que desea. Su prioridad es el poder. Le gustan las cosas nuevas e innovadoras y responde a los retos. El manejo de varias cosas a la vez lo llena de energía. Su lenguaje corporal puede intimidar a los demás. Puede ser agresivo y exigente, y por naturaleza es dominante en cualquier situación. *El secreto de su eficacia en un equipo es la consciencia, y atención a los sentimientos de los miembros de su equipo, especialmente cuando comunica su respeto por las contribuciones que ellos aportan al equipo.*

La fortaleza del I en el equipo

Los **I** proveen imaginación. Su empuje principal, el enfoque de su fortaleza para el equipo, es de crear un ambiente favorable, amistoso que fomenta los esfuerzos del equipo. Preguntan, "No sería divertido si pudiéramos... ¡Imagínese eso!" Los **I** traen espontaneidad al equipo. Contribuyen de manera más efectiva como potenciadores atractivos que inspiran al equipo con sus palabras breves que afirman y sus sentimientos expresivos y optimistas. Los **I** altos ponen énfasis en la interacción y tienen la habilidad de desempeñar tareas de alto perfil con la gente.

Si usted tiene un estilo I alto: ¡Usted es entusiasta y

persuasivo, y le encanta estar con la gente! Le gusta divertirse y hablar mucho. Por naturaleza inspira y es interesante, así que hablar de su equipo y de su proyecto debe ser fácil para usted. Su prioridad es la gente. Imparte emoción a las personas cuando les cuenta sobre lo que usted hace, por tanto a los demás les gusta venir para que usted los anime. Su lenguaje corporal es efusivo y expresivo, dejando a la vista de los demás sus sentimientos. Su ánimo puede cambiar fácilmente de la emoción al aburrimiento. *El secreto de su eficacia en un equipo es su conciencia y atención a la necesidad de cumplir con las tareas. Con esto mostrará su respeto por los sentimientos de los miembros de su equipo y su respeto por las contribuciones que hacen a su equipo.*

La fortaleza del S en el equipo

Los **S** proveen estabilidad. Su empuje principal, el enfoque de su fortaleza para el equipo, es de crear un ambiente seguro y sustentador para los miembros del equipo. Preguntan, "¿**Cómo** podríamos hacer eso....? Si nos ayudamos mutuamente, ¡creo que sí lo haríamos!" Los **S** traen armonía al equipo y contribuyen de manera más efectiva con el seguimiento y cumplimiento de la tarea. Son hábiles en establecer rutinas prácticas, porque emplean la compatibilidad para trabajar en conjunto con los miembros del equipo. Los **S altos** enfatizan la seguridad. Pueden aportar un seguro y previsible que minimiza el conflicto entre los miembros.

Si usted es del estilo S alto: es constante y confiable, y la gente tiende a confiar en usted. Por naturaleza, usted invierte en los demás. Se acerca a otros para apoyarlos y ayudarlos a conseguir resultados constantes y prácticos. Le gusta hacer sentir a los demás muy cómodos con las contribuciones que ellos hacen. Su lenguaje corporal es cálido y tierno. Es fácil para los demás abusar de usted, porque usted no quiere crear conflicto. Puede ser calmado y amable, y por naturaleza apoyará a los demás en cualquier situación. *El secreto para su efectividad en un equipo es su conciencia y atención a la interdependencia que forma con los demás miembros del equipo, que le permite atender rápidamente a cualquier problema que se presente.*

La fortaleza del **C** en el equipo

Los **C** altos proveen análisis. Su empuje principal, el enfoque de su fortaleza para el equipo, es de ser cauteloso a fin de hacer las cosas correctamente como equipo. Preguntan, "¿**Por qué** deberíamos hacer eso...? ¡Creo que quizás sí lo debemos." Los **C** traen lógica al equipo y contribuyen más como los que validan los datos. Son especialistas en detalles precisos, y diplomáticos para abordar las complejidades de una tarea. Los **C** emplean la objetividad para evaluar la excelencia y calidad del trabajo hecho por el equipo. Enfatizan la constancia. Tienen la capacidad de exigir la precisión y estructurar los procedimientos para el equipo.

Si usted es de estilo C alto: disfruta de planear y elaborar los procedimientos, y necesita estar organizado. Busca tener orden en su vida. Puede descartar los sentimientos porque normalmente no encajan con el paradigma. Su prioridad es el procedimiento acorde a los hechos. Le gustan los estándares altos y le energiza la excelencia de los miembros del equipo. Estudia datos y cifras para validar la información. Su lenguaje corporal puede ser frío y distante. Puede ser intenso y perfeccionista, así que por naturaleza será cauteloso en cualquier situación. *El secreto de su efectividad en equipo es su conciencia de, y atención a, la aplicación práctica de las ideas y teorías como el punto central panorámico de los esfuerzos del equipo. Esto comunicará su respeto por los miembros de su equipo y las contribuciones que hacen al equipo.*

Tender un puente sobre los retos de su equipo.

¿Ve cuánto nos necesitamos el uno al otro? A pesar que necesitarnos, a veces creamos fricción entre nosotros. Ya que el manejo de irritaciones es crucial para el éxito del trabajo en equipo, también debemos entender el papel del conflicto en un equipo. Piense en su niñez, ya sea en su hogar o en el campamento. ¿Alguna vez peleó con esos compañeros de equipo? De cierta manera las peleas o el conflicto fortalecen nuestras relaciones. Creamos nuestros puentes de piedra, y construimos nuestras barreras de piedra. El conflicto resulta del estrés, y tenemos distintas maneras de responder cuando estamos bajo presión.

Cuando los **D** altos están bajo presión, ellos presionan. Lo hacen para resolver el problema, y se presionan a sí mismos para resolver la situación. Bajo control, esto puede formar un puente donde juntos, todos los miembros del equipo atacan el problema.

Cuando los **I** altos están bajo presión, arrastran a los demás consigo en un frenesí y llaman la atención de todos los demás. Bajo control, esto puede formar un puente donde todos los miembros jalan juntos en la misma dirección.

Cuando los **S** altos están bajo presión, son flexibles para evitar conflictos con la gente y para adaptarse a la situación. Bajo control, esto puede construir un puente de aceptación.

Cuando los **C** están bajo presión, fortalecen. Fortalecen las reglas para que las personas puedan resolver el problema y se fortalecen a sí mismos para mantenerse firmes ante la situación. Bajo control, esto puede tender un puente de constancia sobre las emociones.

Puentes de comunicación para su equipo

Cada tipo es esencial para la interacción efectiva y los logros de un equipo verdadero. Cada miembro debe ser capaz de reconocer y respetar las fortalezas y debilidades de cada miembro del equipo. ¡Cuando descubrimos la verdad de lo que nos gusta y no nos gusta, encontraremos con frecuencia que a los otros tipos les gusta lo que a nosotros no nos gusta, a menudo encontramos que a los otros tipos les gusta lo que a nosotros no. Ahí es cuando es buena idea permitir al otro lucirse en esa área. Es una excelente manera de colaborar en equipo. *¡Cuando cada uno sobresale en su propia área, se fortalece el equipo!*

LOS **D** PUEDEN PEDIRLE A LOS **I** ...

... crear algo divertido que una al equipo.

... hablar con los miembros del equipo para animarlos.

LOS **D** PUEDEN PEDIRLE A LOS **S** ...

... hacer tareas rutinarias.

... completar proyectos.

LOS **D** PUEDEN PEDIRLE A LOS **C** ...

... responsabilizarse de los detalles.

... dar seguimiento al análisis crítico a largo plazo.

LOS **I** PUEDEN PEDIRLE A LOS **D** ...

... tomar decisiones que no son populares.

... lidiar con la crítica por esas decisiones.

LOS **I** PUEDEN PEDIRLE A LOS **S** ...

...esperar por alguien.

... realizar tareas repetitivas.

LOS **I** PUEDEN PEDIRLE A LOS **C** ...

... encargarse de los detalles.

... seguir los procedimientos, especialmente cuando son inflexibles.

LOS **S** PUEDEN PEDIRLE A LOS **D**...

... tomar el riesgo al tomar la decisión.

... tratar directamente con el conflicto.

LOS **S** PUEDEN PEDIRLE A LOS **I**...

... cambar de dirección de un momento a otro.

... hablar ante de un grupo grande.

LOS **S** PUEDEN PEDIRLE A LOS **C**...

...descifrar problemas complejos.

...realizar análisis crítico.

LOS **C** PUEDEN PEDIRLE A LOS **D**...

... confrontar a la gente directamente.

... tomar decisiones rápidas.

LOS **C** PUEDEN PEDIRLE A LOS **I**...

... ayudar con ideas.

... provean actividades divertidas y espontáneas.

LOS **C** PUEDEN PEDIRLE A LOS **S**...

... dar cabida a las imperfecciones humanas.

... buscar un acuerdo con el ánimo de mantener la armonía.

¿Cómo opera un verdadero equipo? Comienza cuando entiende lo que usted contribuye al equipo y las contribuciones de cada uno de los miembros. Empieza a ver las diferencias desde otra óptica. Respeta la perspectiva de cada uno de los miembros a medida que establece metas, cumple tareas, y contribuye al equipo sus fortalezas especiales. Protege a los miembros de su equipo mientras tiende puentes para superar las dificultades y les pide a ellos comunicarle a usted sus fortalezas. En esencia, esto significa ejercer sus capacidades de comunicarse de manera efectiva y actuar con inteligencia, adaptando sus palabras y acciones al estilo de personalidad de los demás. Sí puede satisfacer las necesidades individuales de los miembros del equipo, mientras alcanza los objetivos del equipo en su totalidad.

Habilitación para mejorar

Esperamos que estas páginas lo habiliten para que pueda mejorar a través del entendimiento propio y de los demás, para que pueda crear mejores relaciones y formar mejores equipos.

La vida es un viaje:

aventura, emoción, rutina y reglas.

Acompáñanos y muestra al mundo que

¡ TÚ TIENES ESTILO!

Acerca del autor

El Dr. Robert A. Rohm es el presidente de Personality Insights, Inc. de Atlanta, Georgia. Se ha dirigido a públicos en casi cualquier situación concebible: en negocios, escuelas, iglesias, grupos de niños, hogares para ancianos, cruceros, hospitales, universidades, y convenciones. Ha viajado por los Estados Unidos, Canadá, Europa, Asia y Australia dando discursos, enseñando y capacitando a la gente para mejorar sus relaciones.

Dr. Rohm ha trabajado con varias iglesias en calidad de pastor de educación de adultos, pastor adjunto; también como maestro con Zig Ziglar. En el campo de la educación, ha sido maestro, administrador de escuela y supervisor de desarrollo de plan de estudios.

Dr. Rohm es egresado del *Dallas Theological Seminary* (Seminario Teológico de Dallas) donde fue reconocido por su trabajo sobresaliente mientras cursaba su maestría en teología. Recibió su doctorado en Administración de educación superior y consejería en la *University of North Texas* (Universidad del Norte de Texas). Recibió el premio "Joven Sobresaliente del año" de una organización de servicios cívicos y es ampliamente reconocido como un individuo influyente en la región sur y sudoeste de los Estados Unidos. Es miembro de la Asociación Estadounidense de Consejeros Cristianos.

Dr. Rohm es un Consultor certificado de la conducta humana. Enseña a los padres maneras específicas de entender y motivar a sus hijos, y a los adultos formas de mejorar su capacidad de comunicación en el trabajo, en el matrimonio y en las relaciones de noviazgo. Ha sido el orador principal de banquetes, seminarios y talleres en todos los Estados Unidos.

Su combinación singular de humor, anécdotas e ilustraciones hace que sea un orador popular con personas de todas las edades. Es autor y coautor de varios libros como, *Descubra Su Verdadera Personalidad, Presentar con Estilo, e Hijos Diferentes, Necesidades Diferentes*, entre otros.

Para acceso a más información sobre el Dr. Rohm visite el sitio Web: www.robertrohm.com

Materiales de recurso

Descubra Su Verdadera Personalidad

Por el Dr. Robert A. Rohm

Este libro le dará una visión básica sobre los estilos del comportamiento humano. Muestra los diferentes rasgos de comportamiento de cada tipo de personalidad. Muestra los fundamentos para comprender el modelo DISC del comportamiento humano y así comprenderse a uno mismo y a los otros. De tal forma que le ayudara a llevarse mejor en sus relaciones personales.

Presentar con Estilo

Por el Dr. Robert A. Rohm y Tony Jeary

Una colaboración entre Tony Jeary (Es Señor Presentación) y el Dr. Robert Rohm (Comunicador de Clase Mundial) este libro es indispensable para cualquiera que quiera presentar algún tipo de producto ó servicio. Tambén para el que ya lo hace profesionalmente. Es un recurso invaluable.

Hijos Diferentes, Necesidade Diferentes

Por el Dr. Charles G. Boyd con el Dr. Robert A. Rohm

Para ayudar a los padres, maestros y consejeros a comprender que cada niño tiene un diseño único. Es responsabilidad de los adultos de adaptarse a su estilo de personalidad en vez de esperar que el niño responda a la perspectiva del adulto. Este libro incrementará su capacidad de adaptación y le mostrara nuevas formas de alentar a los niños.

Análisis del estilo de personalidad

INFORME de Descubrimiento

Relaciónese Bien. Viva Bien

en línea:

www.discoveryreport.com

haga click en español

Informe de Descubrimiento

En 15 minutos puede completar el análisis por Internet; descubra su estilo con precisión y luego descubra las claves para su éxito.

Este informe de 41 páginas - hecho a su medida - incluye explicaciones (con cuadros y gráficos) de los cuatro tipos de personalidad del modelo de comportamiento humano DISC, así como las mezclas de los diferentes tipos en cada persona.

Página de Puntage para el Análisis de Estilos de Personalidad

Este gran instrumento le mostrará sus gráficas básica y ambiental de personalidad, con gran detalle le revelará su tipo de personalidad a partir de un sensillo cuestionario. Ideal para descubrir más fondo su estilo de personalidad.

Rotafolios DISC

Básico

Guía rápida de consulta con información detallada sobre las fortalezas, los problemas y estrategias para cada estilo.

Para los padres...

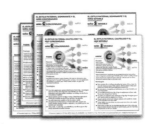

Juego de 4 rotafolios, diseñados para padres. Comprende las combinaciones Padres e Hijos de los estilos de personalidad DISC.

Personality
INSIGHTS
PRESS